Chères lectrices,

Ah, les héros… en voilà une espèce à part ! Personnages de romans ou de films, ils nous fascinent toujours — quels que soient notre âge et notre situation… En effet, adolescente ou mère de famille, nous ne demandons qu'à nous laisser séduire par ces idoles qui incarnent un idéal masculin. Et comme nous envions celles qui ont la chance de se trouver dans leurs bras !

Car, évidemment, leur existence semble plus réjouissante que la nôtre : homme ou femme, les héros mènent la belle vie — une vie pleine de rebondissements, de voyages et de rencontres… Ils n'ont jamais d'ennuis, et s'ils se disputent, c'est pour mieux se réconcilier ensuite — le plus souvent devant un dîner aux chandelles dans un grand restaurant. C'est tout de même injuste ! Cependant, rien à faire, cela ne nous empêche pas de les adorer.

Et puis, à bien y réfléchir, les héros sont-ils si chanceux ? Après tout, *eux* ne vivent que sur pellicule ou sur papier. Alors, entre nous… vous ne trouvez pas que notre vie, avec ses petits et grands bonheurs, est beaucoup plus riche que la leur ?

Excellente lecture,

La responsable de collection

A partir du 1er avril,
Emma Darcy vous invite à
découvrir un nouveau volet de

PASSIONS AUSTRALIENNES

Du 1er avril au 1er juin, Emma Darcy vous entraîne une nouvelle fois dans son pays natal, l'Australie. Après l'Outback âpre et sauvage, découvrez la région tropicale du Queensland et rejoignez la famille King au grand complet : Alessandro, Antonio et Matteo... trois frères aussi charmeurs et séduisants que leurs cousins de l'Outback !

Ne manquez pas ce nouveau rendez-vous avec

PASSIONS AUSTRALIENNES

- 1 titre inédit chaque mois -

Vengeance et passion

LYNNE GRAHAM

Vengeance et passion

HARLEQUIN

COLLECTION AZUR

Cet ouvrage a été publié en langue anglaise
sous le titre :
THE DISOBEDIENT MISTRESS

Traduction française de
NOÉ LE BLANC

HARLEQUIN®

est une marque déposée du Groupe Harlequin
et Azur® est une marque déposée d'Harlequin S.A.

Toute représentation ou reproduction, par quelque procédé que ce soit, constituerait une contrefaçon sanctionnée par les articles 425 et suivants du Code pénal.
© 2002, Lynne Graham. © 2004, Traduction française : Harlequin S.A.
83-85, boulevard Vincent-Auriol, 75013 PARIS — Tél. : 01 42 16 63 63
Service Lectrices — Tél. : 01 45 82 47 47
ISBN 2-280-20288-3 — ISSN 0993-4448

1.

Confortablement installé dans un luxueux fauteuil en cuir, Leone Andracchi contemplait la jeune femme dont il allait se servir pour accomplir sa vengeance.

Elle répondait au nom de Misty Carlton. Pour l'heure, affairée à distribuer des rafraîchissements aux principaux responsables d'Andracchi international — réunis à l'occasion du meeting annuel du groupe —, elle n'avait pas conscience du regard satisfait que le magnat posait sur elle. En tailleur sombre, ses cheveux auburn ramenés en un chignon sévère, la future proie de Leone semblait avoir choisi sa tenue pour dissimuler les charmes de sa féminité, et suggérer le sérieux d'une véritable professionnelle. Nul doute que la moindre touche de maquillage aurait suffi à souligner l'étonnante grâce de ses traits… mais c'est pour son efficacité et son application que Misty cherchait à se faire remarquer aujourd'hui. Son « camouflage » s'avérait d'ailleurs payant, songea Leone, puisque aucun des hommes qui dégustaient ses hors-d'œuvre n'avait encore tenté de flirter avec elle.

Fallait-il qu'ils soient tous aveugles pour rester insensibles à une beauté si exceptionnelle ! N'y avait-il que lui pour admirer les contours subtils de ses yeux en amande, apprécier la rondeur exquise de ses lèvres sensuelles ? Revêtue d'atours à la mesure de sa splendeur, Misty se révélerait proprement éblouissante, et sûrement bien plus attirante qu'un mannequin conventionnel. Leone l'imaginait déjà en lingerie de soie rouge, des bas presque transparents couvrant ses longues jambes fines, avec des talons aiguilles aux pieds...

Les yeux d'ébène du brillant homme d'affaires s'éclairèrent d'une lueur amusée tandis qu'il achevait de dénuder tout à fait la jeune femme en esprit. Authentique Sicilien de souche, il jugeait en connaisseur du corps féminin.

D'ici quelques semaines, songea-t-il, le Tout Londres n'aurait plus que le nom de Misty Carlton à la bouche. Les paparazzi se battraient pour obtenir la moindre information concernant la nouvelle maîtresse du puissant Leone Andracchi, et ils ne manqueraient pas de fouiller méticuleusement le passé de celle-ci, à l'affût de la plus petite révélation qui puisse alimenter les pages mondaines des quotidiens et des magazines. Du reste, Leone veillerait à ce qu'ils ne demeurent pas bredouilles très longtemps. Lui-même avait effectué ses propres recherches il y avait six mois de cela, et, une fois qu'il avait établi avec certitude l'identité de Misty Carlton, il s'était assuré que les documents permettant de le faire resteraient aisément accessibles à quiconque voudrait se livrer au même exercice. Il avait alors tranquillement manœuvré pour que Misty se retrouve à sa merci, et son plan s'était déroulé à merveille — il faut dire que le patron d'Andracchi international ne connaissait pas l'échec.

Melissa Carlton, avait-il découvert, était la fille illégitime d'Oliver Sargent, l'homme auquel Leone s'était

8

juré de nuire pour venger la mémoire de sa sœur Battista. Aussi habile qu'ambitieux, Sargent avait fait carrière en politique en prônant le respect de valeurs morales puritaines, mais sa réputation de père de famille exemplaire cachait une réalité tout autre. Grâce à la fabuleuse fortune dont il avait hérité, il n'hésitait pas à corrompre son entourage pour parvenir à ses fins, et l'on ne comptait plus ses infidélités conjugales. Cependant, qu'Oliver Sargent soit le dernier des hypocrites laissait Leone parfaitement indifférent ; après tout, il n'était pas le seul.

Non, ce qu'il ne pouvait pardonner à ce beau parleur sans scrupules, c'était d'avoir choisi de sauver son avenir politique plutôt que la vie de Battista, qu'il avait laissée se vider de son sang dans une voiture accidentée, au lieu d'appeler les secours... et de prendre le risque que sa double vie soit mise à nu.

Le visage de Leone s'assombrit brusquement. Bien qu'une année entière eût passé depuis l'enterrement de sa sœur, il sentait toujours son cœur se serrer lorsqu'il se souvenait de la manière dont cet ignoble politicien avait sciemment sacrifié la vie de celle-ci. Les médecins lui avaient affirmé que si l'ambulance avait pu parvenir à temps sur les lieux de l'accident, Battista aurait survécu ; cet été-là, songea-t-il avec amertume, elle avait eu dix-neuf ans.

Jeune étudiante en sciences politiques, magnifique brune aux yeux pétillants, elle avait été amenée à travailler avec l'équipe de Sargent pour préparer une des campagnes du député. Sa nature trop crédule l'avait empêchée de voir clair dans le jeu de celui-ci, qu'elle adulait comme un véritable héros. Toutefois, jamais Leone n'avait soupçonné qu'elle irait jusqu'à se laisser séduire par lui : n'était-il pas un respectable père de famille, de vingt-cinq ans son aîné ? C'était compter sans le charme intact de Sargent, qui pouvait facilement paraître bien plus jeune que son âge.

— Monsieur Andracchi... ?

Leone quitta soudain son expression maussade et posa un regard surpris sur l'assiette que lui tendait Misty Carlton. En effet, les biscuits aux amandes et les tartelettes à la crème qui s'y trouvaient étaient des pâtisseries siciliennes traditionnelles, qu'il n'avait que rarement l'occasion de déguster. Avec un sourire, il leva les yeux vers la jeune femme, remarquant les traits tirés de son visage et le tremblement imperceptible de ses cils. Manifestement, elle était à bout de nerfs ; c'est d'ailleurs lui-même qui avait tout fait pour qu'il en soit ainsi. L'entreprise de celle-ci, Carlton Traiteur, était au bord de la faillite, et lui seul pouvait la sauver de la banqueroute.

— Merci, susurra-t-il d'une voix grave, impassible. Des *nucatoli* et des *pasta ciotti*... voilà une très charmante attention.

Si elle s'imaginait qu'une flatterie aussi grossière suffirait à ce qu'il lui renouvelle son contrat, elle se trompait lourdement. Leone savait parfaitement qu'elle avait choisi de s'endetter pour s'agrandir. Elle espérait sans doute que leur accord serait prolongé, mais il ne lui avait fait aucune promesse en ce sens, et ne pouvait être tenu pour responsable des erreurs de gestion de la jeune femme.

— J'aime tenter des choses nouvelles, répliqua timidement Misty.

Le pouls de sa victime battait follement sur la veine de son cou, et Leone s'attarda un instant à contempler la peau soyeuse de sa gorge nue.

Les lèvres légèrement entrouvertes, une rougeur naissante colorant ses joues, Misty semblait en proie à un certain émoi. Rien que de très naturel, songea Leone avec une profonde satisfaction : il avait l'habitude de provoquer un tel effet chez les femmes qui l'approchaient. Nul doute que s'ils avaient été seuls, il aurait pu l'embrasser sans qu'elle lui oppose la moindre résistance... L'image du corps nu de Misty frémissant sous ses caresses érotiques dans la chaleur d'une après-midi sicilienne lui traversa fugitivement l'esprit, mais il se reprit aussitôt. Le souvenir de la vengeance qu'il avait à accomplir lui fit l'effet d'une douche froide, coupant net l'élan de son ardeur masculine. Il avait d'autres projets en tête pour la fille de Sargent. Elle serait sa maîtresse, certes, mais seulement en titre : il n'était pas question qu'ils couchent réellement ensemble.

— Une excellente disposition, lâcha-t-il en mordant dans une tartelette fondante.

La pâtisserie était succulente, et lui rappelait celles de son enfance. Un rictus s'esquissa sur ses lèvres fines. Il aimait qu'une femme sache cuisiner... Qui sait, peut-être Misty pourrait-elle lui préparer quelques-uns de ses repas pendant leur cohabitation forcée ?

— C'est délicieux, commenta-t-il laconiquement.

Les yeux émeraude de Misty brillèrent de soulagement, et son visage s'éclaira. Décidément, pensa Leone, de tels signes de nervosité étaient malvenus chez quelqu'un qui voulait cacher la situation financière désespérée de son entreprise. Une situation dont il comptait profiter pour mener à bien ses propres plans...

Elle lui servit une tasse de café fumant avec grâce et discrétion. Mais Leone n'était pas dupe. Sous ces gestes d'une douceur toute féminine se dissimulait une redoutable calculatrice, qui, pour satisfaire ses ambitions, n'avait pas hésité à pousser à la ruine la femme qui l'avait élevée. A vingt-deux ans, et bien qu'elle ignorât l'identité de son père, Melissa Carlton se révélait prête à manipuler sans vergogne son entourage à des fins strictement personnelles, tout comme Sargent.

C'est pourquoi, malgré l'enfance difficile qu'elle avait eue, passant d'une institution pour enfants abandonnés à une autre jusqu'à l'âge de dix ans, Leone n'éprouvait aucune compassion pour Misty. De sa vie de jeune adulte, il savait qu'elle s'était fiancée il y avait quelque temps à un riche propriétaire terrien, avec l'intention manifeste de mettre la main sur sa fortune, mais que celui-ci l'avait quittée plutôt brutalement. Elle avait alors passé plusieurs mois en compagnie d'une rock star aux cheveux décolorés, qui faisait profession de hurler bruyamment dans un micro, pendant que Misty se déhanchait avec énergie sur le bord de la scène. Cette aventure-là n'avait pas duré non plus.

— Puis-je vous parler en privé, monsieur Andracchi ? demanda soudain la jeune femme avec toute la déférence dont elle était capable.

— Pas tout de suite, non, répliqua Leone, qui regarda sans sourciller son interlocutrice en train de pâlir.

Il pouvait bien la faire patienter encore un peu. Après tout, il allait lui proposer un travail en or, qu'elle n'avait rien fait pour mériter. Il regrettait d'ailleurs de devoir

12

la faire bénéficier ainsi de ses largesses, mais il n'avait pas le choix. Elle était le seul talon d'Achille d'Oliver Sargent, et il ne pouvait pas se permettre de laisser passer une si belle occasion de faire mordre la poussière au politicien véreux qu'il haïssait tant. Bien évidemment, Misty ignorerait son véritable rôle dans cette histoire jusqu'à ce qu'il soit trop tard pour qu'elle fasse machine arrière... Mais elle serait grassement rémunérée pour sa prestation, au demeurant peu contraignante. Et puis, il n'allait tout de même pas se laisser attendrir par une femme qui dépouillait les vieilles dames de leurs économies en leur faisant du chantage affectif !

Dès que la presse aurait révélé au grand public l'existence de sa fille illégitime, la chute d'Oliver Sargent serait inévitable, car il avait construit toute sa carrière sur la défense des valeurs morales et familiales traditionnelles. Ses électeurs l'abandonneraient, sa femme également— mais c'est surtout la perte de son influence qui le meurtrirait dans ce qu'il avait de plus cher. Oliver Sargent avait besoin de l'admiration des foules pour satisfaire son ego démesuré, et ne rêvait que de gravir un à un les échelons du pouvoir, d'occuper des postes toujours plus importants dans la hiérarchie politique. Déchu de ses fonctions et rejeté par tous, il serait un homme brisé. Les journalistes les plus sérieux n'auraient aucun mal à prouver ensuite ses liens avec des capitaines d'industrie peu recommandables et des trafiquants notoires. Cela signerait sa fin et sans doute terminerait-il sa triste existence en prison.

Evidemment, la ruine du politicien ne suffirait pas à faire oublier à Leone la disparition de sa petite sœur, mais au moins, il aurait la satisfaction de se dire que

Sargent savait exactement *pourquoi* il l'avait fait sombrer. Le député se montrait déjà nerveux en sa présence, bien qu'il ne soupçonnât pas encore que Leone sût qu'il conduisait la voiture dans laquelle Battista avait été retrouvée morte. Il est vrai que Sargent avait si bien couvert ses traces que jamais Leone n'était parvenu à trouver une preuve incontestable de sa responsabilité dans le drame.

Il contempla de nouveau Misty Carlton, qui donnait des directives à son personnel. C'était le portrait craché de sa mère, et Sargent ne pourrait pas manquer de la reconnaître lorsqu'il la verrait. Le calvaire du politicien commencerait alors...

Misty se demanda si elle avait déjà détesté quelqu'un autant qu'elle détestait Leone Andracchi. Il l'avait congédiée comme si elle n'avait été qu'une serveuse maladroite dans un troquet minable. Hélas, elle ne pouvait faire autrement que de se plier à ses caprices de magnat des affaires : le contrat qui liait sa petite entreprise à Andracchi international arrivait à terme le lendemain, et elle ne savait toujours pas si Leone comptait le prolonger. La survie financière de Carlton Traiteur en dépendait pourtant...

Une goutte de sueur perla à son front, et elle se remit fébrilement au travail, tout en étant consciente que le patron d'Andracchi international surveillait ses moindres gestes.

Même s'il avait tout juste trente ans, celui qui tenait l'avenir de Misty entre ses mains imposait le respect à chacun. La rapidité avec laquelle il avait constitué son empire industriel et commercial était notoire. Imprévisible, Leone Andracchi était doué d'un sens des affaires hors du commun qui lui avait valu une ascension fulgurante. Même les plus aguerris des cadres de son entreprise tremblaient au plus petit froncement de ses sourcils, et tous rivalisaient de flatterie et de déférence pour s'adresser à lui. Leone Andracchi régnait sur sa société avec une autorité sans faille, et son charisme inné lui assurait l'estime et l'obéissance de ses employés.

Malheureusement, songea Misty, il avait conservé de sa Sicile natale un machisme invétéré qui le rendait tout à fait insupportable. Mon Dieu, comme il avait *adoré* qu'elle le serve comme une parfaite femme au foyer, qu'elle lui sucre son café juste à son goût sans qu'il ait à prononcer un seul mot ! Ravaler sa fierté n'avait pas été chose facile pour quelqu'un comme elle, habituée à se battre pour faire reconnaître ses droits, mais elle était prête à se plier à toutes les ignominies pour éviter que Birdie ne doive abandonner sa maison. Peut-être que cuisiner des pâtisseries siciliennes typiques n'avait pas été une approche très subtile, mais après tout, qu'avait-elle à perdre ? Il fallait coûte que coûte que Leone Andracchi renouvelle son contrat, sans quoi non seulement elle ferait faillite, mais Birdie devrait céder aux créanciers et vendre la propriété qu'elle avait occupée sa vie durant — ce que Misty ne pouvait permettre.

— Ce type, Andracchi, il est incroyablement sexy, tu ne trouves pas ? lui murmura soudain à l'oreille Clarice, son employée, avec un air espiègle. Je suis sûre qu'au lit, c'est un vrai démon…

— Tais-toi donc ! rétorqua vivement Misty.

15

Jeter des regards langoureux au grand patron n'était pas une attitude qu'elle qualifiait de très professionnelle, et ce n'était pas le moment de permettre à son personnel de tels écarts de comportement.

— Excuse-moi ! lança Clarice, un peu vexée. J'essayais juste de te faire sourire : tu as l'air si soucieux depuis quelque temps ! De toute façon, quoi que tu en dises, j'ai remarqué que tu n'arrêtais pas de le dévisager, toi aussi, alors…

Misty rougit légèrement, gênée d'avoir répondu si sèchement à son amie. C'était vrai qu'elle surveillait sans cesse Leone Andracchi du coin de l'œil, mais pas pour la raison qu'imaginait Clarice : elle guettait le moindre signe de contentement ou au contraire d'irritation de l'homme d'affaires, afin de s'assurer qu'il était toujours satisfait du service qui lui était offert. Même ses employés et ses proches ne se doutaient pas de la précarité extrême de l'entreprise de Misty. Sans prolongement de contrat, la banque refuserait de lui prêter de nouveau de l'argent, et elle se retrouverait à court de liquidités, incapable de payer son personnel à la fin du mois, et encore moins ses fournisseurs…

La jeune femme baissa un instant les yeux, accablée par la honte de s'être mise elle-même dans une situation si délicate. Pourquoi n'avait-elle pas fait preuve d'une plus grande prudence ?

Un homme blond en complet gris s'approcha tout à coup d'elle.

— M. Andracchi va vous recevoir dans son bureau, mademoiselle, dit-il d'un ton sentencieux.

La surprise de voir son patron s'intéresser personnellement à un sous-traitant aussi insignifiant que Misty se lisait sur son visage. D'ailleurs, Misty elle-même ne cessait de s'étonner de toute l'attention que lui avait portée Leone Andracchi depuis leur première entrevue, cela faisait quatre mois. Après tout, elle avait pour seule responsabilité de nourrir convenablement les cadres d'une des filiales de sa société, et il avait sûrement mieux à faire que de s'occuper d'affaires si peu importantes. Cependant, comme il lui avait expliqué sur un ton qui ne souffrait aucune contestation, la gastronomie constituait un aspect de la vie essentiel pour un Sicilien, et il tenait à ce que ses employés s'alimentent correctement pendant les heures qu'ils passaient à son service. La productivité de leur travail en serait ainsi augmentée, avait-il affirmé, et tout le monde y trouverait son compte. Chaque jour ouvrable depuis quatre mois, Misty proposait donc des déjeuners de qualité au restaurant de l'entreprise, en plus de servir des rafraîchissements variés les après-midi comme celui-ci où se déroulaient de grandes réunions d'affaires.

Effectuant une rapide visite dans la salle d'eau avant de se diriger vers le bureau d'Andracchi, elle se lava les mains et réajusta son tailleur. Inutile de se voiler la face, elle avait mauvaise mine — ce qui ne l'aiderait pas à paraître convaincante dans la discussion qui allait se tenir, songea-t-elle en soupirant. Elle ne pouvait s'en prendre qu'à elle-même : contracter ce prêt à la banque avait été une folie.

Andracchi allait lui annoncer qu'il ne voulait plus de ses services, elle le sentait. Qu'importait à ce grand industriel la faillite d'une minuscule entreprise comme celle de Misty ? Il adorerait sûrement qu'elle se mette à genoux devant lui pour le supplier. En serait-elle capable ? Pour Birdie, sa mère adoptive, elle trouverait le courage nécessaire pour affronter le pire... D'autant que la seule autre possibilité qu'il lui restait de s'en sortir était de demander de l'aide à Flash. Son ami chanteur n'hésiterait pas une seconde à payer ses dettes, mais à quel prix ? Elle ne pourrait plus refuser de passer une nuit avec lui... A cette pensée, un frisson lui parcourut la nuque — Misty espérait ne jamais devoir en arriver là.

Une secrétaire qui semblait grandement impressionnée par la présence en ces lieux du patron d'Andracchi international lui ouvrit la porte du bureau, et Misty pénétra résolument dans la pièce, en essayant tant bien que mal d'ignorer le nœud qui s'était formé dans son ventre. Les paumes humides, elle pria pour qu'il ne veuille pas lui serrer la main.

Leone Andracchi était assis derrière un vaste bureau, et parlait au téléphone en italien avec la volubilité habituelle des séducteurs méditerranéens. Il ne prêta aucune attention à Misty, continuant sa conversation en contemplant l'horizon à travers la grande baie vitrée de la pièce comme s'il était parfaitement seul. Manifestement, songea Misty, il était en ligne avec une de ces jolies idiotes à la poitrine proéminente qu'il affectionnait. Elle eut un rictus de dégoût. D'après elle, un homme digne de ce nom chercherait à se lier à une vraie femme, pas à une cocotte sans cervelle prête à tout pourvu qu'on l'entretienne.

Quel dommage qu'il eût si mauvais goût ! Car son amie Clarice ne s'était pas trompée sur ce point : il s'agissait bien du plus bel homme que Misty eût jamais rencontré. Ses cheveux d'un noir profond semblaient appeler les

18

caresses d'une main féminine, ses pommettes saillantes et sa mâchoire carrée dessinaient un visage aux contours virils d'une séduction extrême, rehaussée par les reflets dorés de ses yeux de jais. Pourtant, ce personnage imbu de lui-même aurait eu bien besoin qu'un membre de la gent féminine lui résiste, voire lui refuse ses charmes.

Tandis qu'il terminait son coup de fil, Misty s'amusa à l'imaginer nu — un exercice qu'on lui avait appris à faire en présence de personnages importants, pour les rendre moins impressionnants et désamorcer son trac. Cette fois-ci, cependant, l'opération se révéla bien plus troublante que prévu, et elle se surprit à se figurer des situations qui n'avaient rien à voir avec la lutte contre le stress...

Raccrochant le combiné, Leone Andracchi jeta un coup d'œil à la jeune femme, qui semblait perdue dans ses pensées. Il s'attarda complaisamment à la regarder quelques instants, avant de toussoter et de prendre la parole.

— Bienvenue dans mon bureau, mademoiselle Carlton.

Misty sursauta légèrement et rougit, furieuse contre elle-même de s'être fait surprendre ainsi. Encore heureux qu'il n'ait pu lire dans son esprit !

— Monsieur Andracchi...

— Je suis désolé de vous avoir fait attendre, mademoiselle Carlton.

Il n'était pas le moins du monde désolé, songea Misty avec exaspération. Malgré l'air contrit qui s'affichait sur le visage de son interlocuteur, elle savait parfaitement que ce coup de téléphone faisait partie d'une petite mise en scène destinée à la mettre mal à l'aise avant leur discussion. Andracchi était un redoutable manipulateur, et il avait réussi à la placer en position de faiblesse avant même qu'ils n'échangent un seul mot. Il n'y avait plus aucun doute à avoir, à présent : le contrat ne serait pas renouvelé.

Leone se leva et se rapprocha d'elle, s'appuyant avec nonchalance sur le bureau. Il devait faire au moins un mètre quatre-vingt-dix, se dit-elle en posant un regard appréciatif sur ses larges épaules et sa carrure athlétique.

— Je suppose que vous êtes impatiente de connaître ma réponse concernant le prolongement de votre contrat sur une période d'un an, lança-t-il d'une voix grave, même si rien ne m'oblige à vous divulguer une telle information maintenant, ou à vous rendre compte des raisons de mon choix. Cependant, au vu de l'excellence des services que vous avez fournis ces derniers mois, je me sens obligé de vous expliquer pourquoi j'ai décidé de ne pas vous engager de nouveau.

Misty sentit son estomac se crisper, et elle pâlit ostensiblement. Ses pires craintes étaient fondées. Carlton Traiteur n'avait plus qu'à déposer le bilan.

— Gardez vos paroles consolatrices pour vous, monsieur Andracchi, lâcha-t-elle d'un ton amer. Si vous ne renouvelez pas mon contrat, c'est manifestement que n'êtes pas content de mon travail. Le reste ne m'intéresse pas.

— Ce n'est pas aussi simple que cela, répliqua-t-il sans sourciller. Votre entreprise se trouve dans une situation financière plus que précaire, et il serait imprudent pour moi de passer un accord avec une société menacée de banqueroute. Qui nourrira mes employés, si Carlton Traiteur disparaît dans l'année ?

Misty ouvrit de grands yeux, et se risqua enfin à affronter le regard de son employeur.

— Puis-je savoir qui vous a fourni de telles informations ? lança-t-elle d'un ton glacial.

— Mes sources sont confidentielles, vous vous en doutez, répliqua Leone avec un sourire cynique.

— En tout cas, ce que vous avancez est faux. Soyez sûr que je lancerai une procédure judiciaire à l'encontre de la personne qui vous a transmis ces renseignements erronés.

Misty avait du mal à contrôler sa respiration, néanmoins elle était déterminée à faire perdre un peu de son arrogance à cet homme insupportable.

— Inutile d'essayer de me mentir, mademoiselle Carlton. Mes informations sont toujours exactes.

Misty releva la tête d'un air de défi.

— Je vous assure que si vous m'engagez, je serai tout à fait en mesure de fournir une prestation sans reproche jusqu'au terme du contrat.

— Votre optimisme m'impressionne, mais je ne le partage pas. Laissez-moi vous résumer la situation : vous avez du talent, c'est indéniable, et un sens inné de l'organisation. Mais en proposant des tarifs extrêmement bas pour remporter l'appel d'offres que j'avais lancé et obtenir un contrat avec ma société, vous vous êtes endettée au-delà du raisonnable. Dans le milieu de la restauration, qui implique des frais de personnel importants ainsi que le respect d'une législation sanitaire draconienne, prendre de tels risques se paie cher.

Confrontée à des dépenses excessives, vous n'avez pas réussi à équilibrer le budget de votre entreprise. Pourquoi vous ferais-je confiance ?

— Vous savez comme moi que j'ai tout fait pour que mes prestations vous donnent satisfaction, dans l'espoir que ce contrat serait prolongé. Encore six mois et je rentrais dans mes frais. D'ici un an, j'aurais été bénéficiaire.

C'était vrai ! Elle avait fait et refait ses calculs, et Andracchi n'avait rien à répondre à cela.

— De plus, enchaîna-t-elle, vous m'aviez affirmé vouloir encourager les jeunes entrepreneurs locaux...

— Certainement pas ceux qui refusent de reconnaître leurs erreurs et de regarder la réalité en face, coupa Leone. Comment pouvez-vous me soutenir que les finances de votre société sont saines alors que je sais pertinemment que vous n'avez pas payé depuis plusieurs mois le loyer de votre local ? Que votre banque vous menace de poursuites pour non-respect des échéances de remboursement, et que vous êtes endettée jusqu'au cou ? Un cou que vous avez d'ailleurs fort joli...

— Je ne vous permets pas de faire de telles remarques ! s'écria Misty, fulminante.

Quel odieux macho ! Comment osait-il lui parler sur ce ton ? Il était déjà suffisamment vexant qu'Andracchi lui refuse le contrat le plus important de sa carrière — il n'avait pas besoin, en plus, de lui détailler les raisons de cette rebuffade avec sa suffisance habituelle !

— Vous mettre en colère n'arrangera pas l'image que j'ai de vous, susurra Leone d'un air imperturbable.

Misty se sentit bouillir de rage. Une bonne claque remettrait sûrement ce play-boy à sa place ! Mais perdre ses moyens devant lui serait l'ultime humiliation, se raisonna-t-elle. Reprenant peu à peu le contrôle d'elle-même, elle le dévisagea avec mépris.

— Puisque vous me mettez à la porte, je ne vois vraiment pas pourquoi je chercherais à vous faire bonne impression, déclara-t-elle sèchement.

Leone arqua un sourcil énigmatique.

— Et si je vous proposais une offre salvatrice... ? lança-t-il, un sourire tentateur aux lèvres.

Misty éclata d'un rire nerveux.

« Nous y voilà ! » songea-t-elle avec ironie. Leur entrevue n'avait eu pour but que de satisfaire la cruauté de ce tyran sans scrupule. Il se plaisait à la torturer ainsi, à jouer avec ses espoirs et avec ses craintes. C'était un spectacle pour lui. Elle s'était montrée obséquieuse, puis irascible, à présent il voulait qu'elle l'implore. Eh bien, il finirait la représentation sans elle !

Cependant, au moment où elle se levait pour claquer la porte au nez de cet homme d'affaires présomptueux, elle se ravisa en pensant à la détresse de Birdie, qui serait forcée de quitter son cottage par sa faute. Elle n'avait pas le droit de laisser passer une occasion, si mince soit-elle, de sauver la situation — fût-ce au risque de subir une nouvelle humiliation en se voyant proposer une offre si dégradante qu'elle ne pourrait l'accepter.

S'arrêtant net, elle se tourna lentement vers Andracchi, et scruta son visage décidément indéchiffrable.

— Auriez-vous réellement une proposition sérieuse à me faire ? demanda-t-elle avec méfiance.

Andracchi ne répondit pas tout de suite, et un silence tendu s'installa entre eux. Fixant le puissant Sicilien du regard, Misty ne pu s'empêcher de remarquer la forme parfaite de sa bouche, le grain lisse de sa peau hâlée, et ses longs cils d'ébène. Bien qu'elle s'en défendît en public, l'aura de virilité qui émanait de cet homme ne l'avait jamais laissée indifférente, et l'attirance animale qu'il exerçait sur elle se manifestait maintenant avec une force décuplée.

A son grand dam, elle sentit soudain ses tétons se raidir sous l'effet du désir naissant, et remercia le ciel que son tailleur sombre masque à Andracchi l'effet qu'il avait sur elle. Quelle idiote de réagir ainsi à un moment pareil ! Elle qui se voulait différente de toutes ces femmes qui lui tournaient autour ! Heureusement, songea-t-elle, c'était un phénomène purement physique, qui ne signifiait rien. Elle avait été suffisamment blessée par ses expériences précédentes avec les hommes pour ne pas recommencer de sitôt à s'impliquer dans une histoire d'amour — surtout avec un charmeur superficiel du genre de son ex-employeur.

— Tout est possible pour qui sait saisir la bonne opportunité, murmura finalement Leone d'une voix suave. Personne ne vous l'avait jamais dit ?

Flash avait bien tenté de la mettre dans son lit avec une phrase similaire, se souvint-elle, mais sans succès...

— Je vous en prie, mademoiselle Carlton, asseyez-vous, enchaîna Leone sans attendre.

Qu'avait-elle à perdre à l'écouter encore quelques minutes ? songea Misty. Après tout, peut-être Andracchi voulait-il sincèrement l'aider ?

Il fallait qu'elle en ait le cœur net. Si son offre se révélait intéressante, au moins ne serait-elle pas restée éveillée jusqu'au milieu de la nuit à préparer des tarte-lettes siciliennes pour rien.

— Je voudrais que vous jouiez un rôle bien précis pendant les deux mois qui viennent, déclara Leone en la contemplant d'un air solennel. En échange, je paierai toutes vos dettes et j'assurerai la viabilité de votre entreprise à long terme, afin que vous puissiez reprendre vos activités lorsque notre accord prendra fin.

Misty regarda son interlocuteur, incrédule. A quoi jouait-il ? Une telle offre semblait trop belle pour être vraie.

— Il y a longtemps que je ne crois plus au Père Noël, monsieur Andracchi, lâcha-t-elle finalement d'un ton froid.

2.

Leone la toisa du regard en pinçant les lèvres avec un certain agacement.

— Excusez-moi, mais je n'ai pas franchement l'habitude que de richissimes magnats des affaires me proposent des sommes mirobolantes par simple gentillesse, reprit Misty. Comprenez que j'ai des doutes quant à votre caractère désintéressé dans cette affaire… Ce n'est rien d'illégal au moins ? Je suis prête à accepter beaucoup de choses pour sauver ma peau, mais je tiens à conserver ma dignité.

Leone soupira, puis s'adossa à son fauteuil d'un air blasé.

— Continuez sur ce ton, mademoiselle Carlton, et vous ferez fuir tous les hommes d'affaires qui frapperont à votre porte, dit-il avec une cinglante ironie.

Misty rougit, consciente que le langage relâché qu'elle venait d'employer tranchait avec le discours feutré des négociations. Quel manque de professionnalisme ! Pourquoi cet homme lui faisait-il perdre ses moyens si facilement ?

— Cependant, l'essentiel est que vous ayez avoué que votre entreprise se trouve au bord du gouffre… Car vous le reconnaissez, à présent, n'est-ce pas ? poursuivit

Leone. En fait, j'aimerais vous l'entendre dire clairement avant que notre discussion reprenne. Sans quoi, je retire mon offre.

Andracchi méritait sa réputation de négociateur implacable, songea Misty. Elle savait pertinemment que Carlton Traiteur était menacé de banqueroute, mais elle n'avait jamais eu le courage de prononcer à haute voix les paroles fatidiques qui formulerait cet état de fait.

— Bien entendu, si cela vous tente, vous êtes libre de quitter la pièce et d'interrompre nos tractations, ajouta-t-il sarcastiquement.

Misty soupira avant de lui jeter un regard incandescent. Quelle humiliation de devoir obéir ainsi à un personnage si arrogant ! Mais avait-elle le choix ?

— Je vais faire… faillite, parvint-elle à énoncer au ralenti, comme si chaque mot constituait une flèche plantée dans son amour-propre.

— A la bonne heure, lâcha Leone avec un large sourire. Vous voyez que ce n'était pas si difficile, finalement. Je vous remercie de votre honnêteté, et c'est à moi maintenant d'éclaircir la situation. Néanmoins, avant que je n'entre dans le vif du sujet, je veux que vous me promettiez que tout cela restera strictement entre nous. Rien de ce que nous dirons ne doit sortir de cette pièce. C'est entendu ?

Misty acquiesça d'un hochement de tête. La confidentialité des débats étant le B.A.-BA des négociations d'affaires, Andracchi devait vraiment la prendre pour une amatrice. Voilà qui présageait mal de leurs relations futures, car elle ne supporterait pas très longtemps sans réagir ses remarques paternalistes.

28

— Je dois vous prévenir que mon offre ne concerne en rien votre activité de traiteur, continua Leone, une étrange lueur au fond des yeux. Cependant, si un soir vous vous sentiez prise par l'urgence de cuisiner des plats siciliens, je n'y verrais pas d'objection.

Il esquissa un sourire, visiblement amusé par sa remarque, puis recouvra son sérieux.

— J'ai besoin d'une femme qui fasse semblant d'être ma maîtresse pendant quelque temps, annonça-t-il.

A ces mots, Misty ne put réprimer un petit cri de surprise. Avait-elle bien entendu ? Les yeux écarquillés, elle contempla son interlocuteur avec stupeur, sans trouver de commentaire adéquat. Il devait certainement se moquer d'elle, ou alors il n'avait plus toute sa raison...

— Je ne comprends pas bien, finit-elle par bredouiller d'une voix éteinte.

— Il n'y a rien à comprendre, mademoiselle Carlton, répliqua Leone. Je me contenterai de rémunérer royalement votre prestation à mes côtés, sans vous expliquer les motivations qui me poussent à vous engager. Considérez cet emploi comme un travail normal, qui s'effectuera dans les mêmes circonstances que n'importe quelle autre activité professionnelle. Tout ce que vous aurez à faire, c'est m'obéir au doigt et à l'œil, sans discuter mes exigences, quelles qu'elles soient.

Ce n'était pas une maîtresse qu'il voulait, mais une esclave ! songea Misty.

D'abord décontenancée par l'incongruité de la proposition de Leone, elle reprit un peu de son assurance.

— J'espère qu'il ne s'agit pas d'une plaisanterie de mauvais goût, commenta-t-elle d'un air suspicieux.

— Je vous assure que non, mademoiselle Carlton. Acceptez simplement ce contrat et tous vos ennuis financiers prendront fin, je vous le garantis.

— Et il ne s'agirait que de faire *semblant* d'être votre maîtresse, nous sommes bien d'accord ?

Un sourire narquois s'afficha sur le visage d'ange déchu de Leone.

— Vous croyez vraiment que j'ai besoin de payer pour qu'une femme m'accepte dans son lit ?

Misty rougit de nouveau, à la fois irritée par l'arrogance de cet homme et confuse de s'être imprudemment avancée sur un terrain aussi glissant. Quelle maladresse ! Comment avait-elle pu imaginer un seul instant qu'il la désire ? Andracchi était entouré en permanence par de superbes créatures aux formes voluptueuses, qui avaient de bien plus solides atouts qu'elle-même pour le satisfaire dans le domaine érotique. D'ailleurs, n'avait-il pas une favorite officielle — une certaine Jassy quelque chose ? Une blonde pulpeuse, savamment sculptée par un chirurgien esthétique... Mais quel besoin alors avait-il d'une deuxième maîtresse, factice de surcroît ?

— Je ne suis pas certaine d'être celle qu'il vous faut, murmura Misty sans conviction. Je n'appartiens pas au même monde que vous, et je ne saurai pas comment me comporter dans la haute société... Pourquoi me proposez-vous ce rôle à moi, qui n'ai rien pour le jouer convenablement ?

Leone la dévisagea d'un air sombre.

— Vous êtes celle qu'il me faut parce que vous n'êtes pas en position de refuser mon offre, ni d'en discuter les termes, lança-t-il durement.

Misty fit une grimace intérieure. Elle en voulait à Leone de le lui rappeler aussi brutalement, mais il avait raison : sa marge de manœuvre était extrêmement réduite. Fallait-il pour autant qu'elle se lie à un homme qui n'avait aucun scrupule à profiter de la détresse des autres pour les contraindre à se plier à ses caprices farfelus ? Il n'avait même pas daigné lui expliquer dans quel but il voulait l'engager… pouvait-elle raisonnablement signer un contrat qui stipulait qu'elle lui devrait une obéissance inconditionnelle ? La vie lui avait appris que les cadeaux n'existaient pas, et que tout avait un prix. Cette proposition cachait certainement un piège qu'elle n'avait pas encore aperçu…

— Je ne sais pas…, dit-elle d'une voix hésitante.

— Mademoiselle Carlton, l'interrompit Leone, pourquoi vous évertuez-vous à m'empêcher de vous aider ? Pour gagner la somme que je vous propose, vous aurez seulement à mettre des habits chic, à conduire des voitures de luxe et à m'accompagner lors de soirées mondaines : n'avez-vous jamais rêvé de mener une existence aussi fastueuse que la mienne ?

Cette fois, ç'en était trop ! S'il croyait qu'elle se laisserait stupidement éblouir par son train de vie clinquant, il se trompait ! Pour qui la prenait-il ? Certes, l'entreprise qu'elle avait fondée avait périclité, mais c'était suite à un malheureux concours de circonstances, et il devait très bien le savoir… D'ailleurs, elle n'avait pas de leçon à recevoir de la part de quelqu'un qui n'avait jamais connu la misère comme elle. Elle s'en était sortie par la force de sa volonté, et elle méritait plus de considération !

— Si vous commenciez par me respecter un peu plus, au lieu de vouloir m'appâter avec vos sordides babioles dont je n'ai que faire, peut-être me montrerais-je moins réticente, lança-t-elle sans cacher son irritation.

Leone lui sourit, sans paraître le moins du monde surpris par cette réaction.

— Si vous souhaitez que je vous respecte, mademoiselle Carlton, il faudra me convaincre de votre valeur — qui pour l'instant, est loin d'être une évidence, susurra-t-il d'un ton glacial.

Pourquoi cette dernière remarque ? Misty se sentait blessée par une telle preuve de mépris, d'autant que celle-ci était parfaitement gratuite. En effet, même s'il savait qu'elle avait échoué à monter une société viable — ce qui n'avait rien de honteux — il ne connaissait rien de sa personnalité intime ! Comment se permettait-il de la juger ainsi ?

Leone parut vouloir se reprendre.

— Je suis désolé pour ce commentaire, s'excusa-t-il. Je n'aurais pas dû dire une chose pareille.

— Ce n'est rien, rétorqua Misty, consciente qu'il n'était pas réellement désolé mais qu'il pensait simplement avoir été trop loin dans sa manœuvre d'intimidation. Plutôt que de prolonger mon contrat comme je vous le demandais, ce qui m'aurait donné une chance de m'en sortir à la loyale — car vous savez comme moi que j'aurais trouvé le moyen de remplir mes engagements — vous avez préféré vous servir de mes difficultés financières pour me faire chanter. Vous n'avez aucun scrupule, et vous êtes incapable de compassion. Vous êtes suffisant, présomptueux et autoritaire. Ce n'est pas une surprise de découvrir que vous êtes également grossier.

Leone ne devait pas avoir l'habitude de se faire remettre à sa place comme cela ! songea Misty avec satisfaction. Il resta coi, se contentant de la foudroyer du regard.

Se levant, elle ouvrit la porte du bureau, et se retourna une dernière fois vers l'homme d'affaires qui bouillonnait de colère contenue.

— Merci pour cette entrevue très instructive, monsieur Andracchi. Je vais réfléchir à votre proposition, et je vous transmettrai ma réponse d'ici demain, lança-t-elle avec un grand sourire.

Fermant prestement la porte, elle se dépêcha de monter dans l'ascenseur pour éviter d'éventuelles représailles de la part d'Andracchi. Il était bien connu que les Siciliens pouvaient se montrer particulièrement susceptibles...

Pourtant, à peine avait-elle atteint le rez-de-chaussée de l'immeuble qu'elle se sentit gagnée par le remords d'avoir agi comme elle l'avait fait. Quelle réaction puérile elle avait eue, quand tant de choses étaient en jeu — sa société, les emplois de ses salariés, et surtout le bonheur de Birdie !

Du reste, c'est certainement ce qu'Andracchi devait se dire à l'instant même... Quelle égoïste de n'avoir écouté que son amour-propre au lieu de penser à ceux qui comptaient sur elle !

Le visage contrit, elle se força à reprendre l'ascenseur pour essayer de sauver la situation. Peut-être ce tyran accepterait-il ses excuses et renouvellerait-il sa proposition ?

Avançant vers le bureau de celui-ci, elle fut surprise de le découvrir en train de discuter tranquillement dans le couloir avec deux hommes en costume gris. Non seulement il affichait un flegme à toute épreuve, une main glissée avec nonchalance dans la poche de son pantalon, mais en plus il l'ignorait délibérément ! Ne sachant comment interpréter cette attitude, Misty demeura quelques instants à le contempler d'un air embarrassé, avant qu'il ne daigne arquer un sourcil interrogateur en sa direction.

— J'accepte votre offre, balbutia-t-elle, rassemblant le peu de dignité qu'il lui restait.

Avec un grand sourire, et avant qu'elle n'ait le temps de prendre de nouveau la fuite, Andracchi lui prit la main et l'attira vers lui.

— Veuillez nous excuser, lança-t-il à ses deux interlocuteurs éberlués, avant de serrer Misty contre son corps musclé pour l'embrasser avec fougue.

Toute volonté de résister à l'arrogant hommes d'affaires s'évanouit en elle au moment où les lèvres brûlantes de Leone capturèrent les siennes. Parcourue par une onde de volupté comme elle n'en avait jamais connue, elle s'abandonna malgré elle à son étreinte, et lui rendit son baiser avec une ferveur dont elle se serait crue incapable. Assaillie par un torrent de sensations exquises, électrisée par l'érotisme imprévu de la situation, elle laissa son corps de braise répondre librement à l'ardeur sensuelle du Sicilien.

Il sembla à Misty qu'ils demeurèrent enlacés pendant une éternité avant que Leone ne la relâche enfin, aussi brutalement qu'il l'avait saisie. Abasourdie tant par le geste cavalier du ténébreux séducteur que par la vivacité de sa propre réaction, elle regarda un court instant l'homme qui l'avait fait chavirer.

— Voilà qui dévoilera à tous nos sentiments l'un pour l'autre, lâcha celui-ci en rajustant sa veste d'un air satisfait.

34

— Comment ? Quels sentiments ? balbutia Misty, que le sans-gêne de Leone commençait à irriter de nouveau.

— Mademoiselle Carlton, croyez-vous vraiment que nous réussirons à donner l'illusion que nous sommes amants sans la moindre démonstration publique de notre passion ?

— Je vois...

— Mais ne vous inquiétez pas, en privé, il sera inutile de se livrer à de pareilles effusions.

Cet homme savait-il quelquefois s'exprimer sans ironie ? se demanda Misty, exaspérée.

— L'idée ne me serait jamais venue à l'esprit, monsieur Andracchi.

Et pourtant... Jamais dans les bras de Philip elle n'avait ressenti d'émotion aussi intense que celle qu'elle venait d'éprouver à l'instant. Quant à Flash... elle l'aimait comme un frère, voilà tout. Leone Andracchi réveillait la femme en elle comme aucun autre homme n'avait su le faire... Mais sans doute était-ce dû à sa technique impeccable de play-boy — et non à une quelconque affinité entre eux, songea-t-elle. Elle n'avait rien de commun avec un être pareil, qui s'amusait avec les gens comme avec des marionnettes.

— Bien, lança-t-elle sur un ton cassant, puis-je disposer ? Il me semble que nous nous sommes assez vus pour aujourd'hui.

— Vous pouvez vous absenter pour le moment, mais rejoignez-moi ce soir à l'hôtel Belstone. Je vous attendrai à 9 heures précises pour établir avec vous les détails de notre accord.

— J'avais déjà un rendez-vous prévu ce soir...

— Eh bien, annulez-le ! Je vous paye assez pour cela ! Désormais je suis votre employeur exclusif, et je repars demain pour Londres. A ce soir, donc, mademoiselle Carlton.

Misty hocha la tête avec un sourire forcé, et repartit vers l'ascenseur, encore sous le choc — il fallait bien l'avouer — de ce baiser enchanteur qui l'avait remuée corps et âme. Se rendant jusqu'au parking du bâtiment, elle prit le volant de la camionnette de sa société et conduisit jusqu'aux locaux de Carlton Traiteur, où elle aida ses trois employés à ranger leur matériel et à nettoyer les lieux. Préoccupée par son entrevue avec Leone, elle se demanda pour la énième fois comment elle aurait pu éviter que son entreprise ne se retrouve à la merci d'Andracchi international — sans trouver de réponse.

Une fois de plus, le sort ne s'était pas montré généreux envers elle…, songea Misty avec amertume. A peine son entreprise lancée, il y a un an de cela, ses locaux avaient été vandalisés et pillés. Les assurances avaient refusé de la rembourser sous prétexte que les normes de sécurité n'avaient pas été respectées ; le rachat de matériel ainsi que la réfection de l'endroit avaient vidé sa caisse de secours. Se retrouvant alors sur la corde raide, elle avait choisi de démarrer prudemment, en se cantonnant à organiser des dîners d'affaires, et quelques mariages ; mais lorsqu'elle avait entendu parler du contrat proposé par Andracchi international, elle avait senti le vent tourner — ou du moins était-ce ce qu'elle avait cru à l'époque. Même si celui-ci prenait fin à très court terme, un accord avec une société aussi puissante et prestigieuse que celle du célèbre magnat Sicilien était la voie royale vers la prospérité. Misty était persuadée que la qualité des services qu'elle offrirait convaincrait les responsables du conglomérat de lui renouveler leur confiance, et que Carlton Traiteur verrait enfin le bout du tunnel. Une fois l'appel d'offres remporté, elle s'était autorisée à faire un emprunt pour acheter une deuxième camionnette et acquérir du matériel plus performant. Or c'est cet emprunt qui pesait à présent trop lourdement sur les comptes de sa fragile entreprise, et qui la livrait pieds et poings liés à Andracchi.

« Soyez réaliste, lui avait répété plusieurs fois son conseiller financier à la banque. Au moindre revers, votre société s'effondrera. Je respecte votre générosité envers Mme Pearce, mais vous ne pouvez plus vous permettre de rembourser l'hypothèque de sa maison. Cette dette n'est pas la vôtre. »

Il avait raison. Ce dont Misty était redevable à Birdie et à son mari Robin, décédé depuis quelques années, n'avait aucune commune mesure avec une quelconque somme d'argent. Les Pearce n'avaient jamais pu avoir d'enfant, aussi avaient-ils décidé de recueillir chez eux de nombreux orphelins ou enfants abandonnés, de tempérament souvent difficile. Misty avait autrefois fait partie de ces jeunes êtres rendus farouches par un cruel manque d'affection à l'âge où l'on en a le plus besoin. Peu à peu cependant, à force de patience et d'amour, Birdie et Robin avaient transformé l'enfant sauvage et taciturne qu'elle était en une adolescente pleine de vie, ouverte sur le monde qui l'entourait. La gratitude infinie que Misty éprouvait pour sa mère adoptive lui interdisait tout « réalisme » au sens où l'entendait le financier : fallait-il qu'elle choisisse de faire vivre sa société plutôt que la personne qui l'avait rendue à elle-même et au monde des hommes ? Cette alternative n'avait aucun sens.

Les douze derniers mois, une bonne partie des bénéfices de Misty avaient permis à Birdie de demeurer à Fossets, la maison dans laquelle celle-ci avait passé sa vie entière, et qui représentait son dernier lien avec l'homme qu'elle avait chéri entre tous. C'était Robin qui avait autrefois tenu les comptes du foyer, et, lorsque Misty avait repris les cordons de la bourse commune, elle avait été choquée de découvrir qu'il avait dû lourdement hypothéquer Fossets pour faire face aux dépenses de leur couple. Toutefois, de peur de faire peser sur les épaules de sa mère adoptive une inquiétude superflue, elle n'avait pas fait part à Birdie de la situation financière catastrophique — les remboursements de l'hypothèque avaient donc été effectués à l'insu de la vieille dame. En effet, Birdie souffrait d'un grave problème cardiaque, et devait subir incessamment une intervention chirurgicale. Son médecin avait bien précisé à Misty qu'il était impératif d'éviter à la future opérée toute émotion forte et tout facteur de stress ; c'est pourquoi la jeune femme maintenait l'adorable sexagénaire dans une bienfaisante ignorance.

Arrivant à Fossets dans sa camionnette, Misty ne put s'empêcher de remarquer avec un pincement au cœur que la façade de la bâtisse avait perdu de sa fraîcheur et de sa superbe. Nichée au milieu d'un bosquet de hêtres centenaires, la maison qui l'avait vue grandir exhibait cruellement le manque d'entretien auquel l'avait condamnée le déclin de la fortune des Pearce.

Misty gara son véhicule et s'avança vers la véranda où Birdie buvait du thé en contemplant les rhododendrons en fleur. A voir la vieille dame qu'elle aimait par-dessus tout si sereine, elle sentit un courage nouveau s'emparer d'elle. Andracchi, qui la tenait en si faible estime, ignorait probablement ce que c'était d'avoir un être cher, songea-t-elle en jetant un regard attendri vers sa mère adoptive qui ne l'avait pas encore aperçue.

Malgré la douceur estivale de cette soirée de juin, Birdie était enveloppée dans une couverture, car son organisme affaibli souffrait du moindre refroidissement. Ses yeux d'un bleu azur aperçurent enfin Misty, et son visage s'éclaira.

— Le jardin est magnifique, ce soir, tu ne trouves pas, ma chérie ? lança-t-elle d'une voix où perçait toute la joie de retrouver celle qu'elle considérait comme sa fille.

Misty lui sourit, et se retourna pour observer un instant l'ombre bleutée des arbres sur l'herbe luxuriante.

— Magnifique, oui. Comment vas-tu, aujourd'hui ?

Birdie, qui détestait que l'on parle de sa santé, fit mine d'ignorer la question.

— J'ai eu une visite du nouveau prêtre de la paroisse. Voilà à peine dix jours qu'il est arrivé, et déjà on est venu lui raconter je ne sais quelles sornettes à propos d'un enfant recueilli par Robin et moi qui nous aurait volé nos économies et réduits à la misère, dit-elle, la voix chevrotante d'indignation. Quelles balivernes ! Comment de telles rumeurs peuvent-elles avoir cours ?

— J'imagine que les gens d'ici ont entendu parler de l'affaire avec Dawn, maman, et que leur malveillance naturelle a fait le reste, répondit gravement Misty.

Les habitants du village voisin, sans doute jaloux de la générosité et de la bonté des Pearce, avaient toujours prédit que la volonté de ceux-ci d'accueillir dans leur foyer des enfants difficiles se retournerait contre eux. Dawn, une ancienne de Fossets, leur avait à moitié donné raison, car elle était revenue en visite l'année précédente et était repartie en emportant avec elle tous les bijoux de Birdie. Celle-ci n'avait pas voulu porter plainte, car Dawn se trouvait sous l'emprise de la drogue. A force d'intelligence et de tendresse, la vieille dame avait réussi à convaincre sa protégée de suivre une cure de désintoxication, qui depuis avait porté pleinement ses fruits. En revanche, aucun de ses bijoux n'avait jamais été retrouvé.

— Assez de sombres pensées, murmura Birdie, un sourire aux lèvres. Parle-moi donc encore de ce riche Sicilien qui t'emploie. Que portait-il, aujourd'hui ?

Misty éclata d'un rire cristallin et posa un regard ému sur la vieille femme qu'elle adorait tant.

Birdie s'enquérait des vêtements d'Andracchi comme s'il s'agissait des mœurs d'une bête curieuse. Elle ne connaissait le milliardaire que par les magazines et les reportages télévisés, et il était pour elle un objet de rêve, un être exotique. L'idée que sa petite Misty travaille pour lui l'enchantait tout à fait, et elle ne se lassait pas d'écouter celle-ci lui détailler les faits et gestes de son patron.

— Eh bien en fait... tu ne vas pas me croire, mais il m'a proposé d'aller avec lui à Londres pour des affaires importantes ! répondit Misty en dissimulant soigneusement à Birdie la part de vérité qui la choquerait inévitablement. Tu ne serais pas trop triste si je m'absentais durant un mois ou deux ?

Misty savait qu'elle pouvait compter sur Nancy, une vieille amie des Pearce qui venait régulièrement tenir compagnie à Birdie, pour prendre soin de sa mère adoptive pendant cette période.

— Pas du tout, ma chérie ! C'est une merveilleuse occasion à saisir, répondit chaleureusement Birdie.

Elle se leva, et, avec une tendresse toute maternelle, serra dans ses bras sa petite fille devenue grande.

Après le dîner, Misty parcourut sa garde-robe à la recherche de vêtements susceptibles de mettre en valeur ses formes féminines. Voilà deux années déjà — depuis la fin de son amourette avec Flash — qu'elle ne s'était pas habillée pour séduire, tant ses expériences amoureuses l'avaient cruellement déçue. Aussi n'était-ce pas sans une certaine excitation qu'elle quitta son tailleur sévère de *businesswoman* pour passer une minijupe en soie turquoise et une chemise argentée au décolleté généreux, avant d'enfiler des talons hauts. Cet accoutrement bigarré lui venait de Flash qui, pendant les quelques mois qu'ils avaient passés ensemble, avait tenu à ce qu'elle adopte un style de starlette du rock, à la fois pour qu'elle ne détonne pas trop à côté de lui, et pour lui faire oublier Philip au plus vite. Après s'être minutieusement maquillée, Misty jeta un dernier coup d'œil à sa silhouette dans le miroir puis descendit saluer Birdie. Elle prit ensuite le volant de la vieille voiture des Pearce pour se rendre à l'hôtel que Leone lui avait indiqué.

Dans le hall d'entrée du luxueux palace, un jeune groom l'informa que M. Andracchi se trouvait actuellement au bar. Tandis qu'elle se demandait s'il valait mieux qu'elle rejoigne son employeur ou qu'elle l'attende sur place, une voix familière l'interpella.

— Misty... ? C'est bien toi ?

Malgré les trois années qui s'étaient écoulées depuis leur dernière rencontre, la jeune femme reconnut immédiatement le ton sophistiqué tout à fait inimitable de son ancien fiancé.

— Philip ? lança-t-elle en se retournant.

Elle ne savait pas s'il fallait se réjouir ou se désoler d'une telle coïncidence. Ils habitaient à peine à une dizaine de kilomètres l'un de l'autre, mais elle avait toujours eu soin d'éviter les endroits où il pouvait se trouver, et avait réussi à ne pas le rencontrer pendant trois ans — jusqu'à ce soir.

— Cela fait si longtemps..., balbutia le jeune homme blond visiblement ému.

Elle le fixa quelques instants de son regard clair.

— Tu... Tu es resplendissante ce soir, enchaîna Philip. J'ai souvent pensé venir te voir à Fossets, et...

— Avec ta femme et ton enfant ? lâcha Misty, non sans amertume.

— En fait, Helen et moi sommes divorcés depuis peu. Notre mariage n'était pas vraiment une réussite.

Sortant à son tour du bar, Leone Andracchi s'immobilisa, hypnotisé par la beauté sulfureuse de Misty. Voilà donc de quoi elle avait l'air lorsqu'elle ne dissimulait pas ses charmes derrière un accoutrement strict de femme d'affaires ! L'apercevant en pleine discussion avec son ancien fiancé, son sang ne fit qu'un tour, et il s'avança vers elle d'un pas décidé. Brisant leur conversation, il posa une main possessive sur la taille de sa « maîtresse ».

42

— Désolé de t'avoir fait patienter, *amore*, susurra-t-il à l'oreille de la jeune femme, sans même jeter un regard à son timide interlocuteur.

En garçon bien éduqué, Philip lui tendit la main avec un grand sourire.

— Bonsoir, je m'appelle Philip Redding, lança-t-il d'un ton franc. Misty et moi sommes des amis de longue date.

Leone ignora la main tendue du jeune homme.

— Voilà qui est absolument fascinant. Mais Misty et moi devons vous quitter, nous sommes attendus ailleurs. Adieu.

La prenant par le bras, il mena Misty, récalcitrante, vers l'ascenseur.

— Je t'appellerai, parvint à articuler Philip en voyant le couple s'éloigner, décontenancé par l'impolitesse renversante du Sicilien.

— Ne perdez pas votre temps, répliqua celui-ci avec un rictus sarcastique, elle ne sera pas libre.

Malgré son indignation, Misty garda le silence, car elle ne désirait pas réellement que Philip l'appelle — il risquait de causer du souci à Birdie.

Dès qu'ils se furent engouffrés dans l'ascenseur, elle jeta néanmoins un regard noir à son employeur.

— Ça vous plaît de jouer les brutes ? demanda-t-elle sur un ton glacial.

— Lorsque je sors avec une femme, je ne lui permets pas de poser le regard sur un autre homme, rétorqua Leone sans sourciller. Surtout si c'est un ex-fiancé.

Misty releva la tête d'un air moqueur, ses cheveux aux reflets fauves tombant en cascade sur ses épaules.

— Vraiment ? Il va falloir me surveiller de près, alors, monsieur Andracchi, lâcha-t-elle avec ironie.

— Non. Je vous paye pour que vous me soyez totalement fidèle. Flirter avec un autre homme est une faute professionnelle grave, que je ne tolèrerai plus.

— *Flirter* ? Philip est bien le dernier homme avec qui je flirterais, sachez-le !

— Je suis parfaitement au courant de ce qui s'est passé entre vous, mais j'ai aussi vu la façon dont vous le regardiez. On ne me trompe pas sur ces choses-là, mademoiselle Carlton.

Misty détourna les yeux, incapable de masquer son émotion. C'est vrai, pendant un instant, elle s'était rappelé les temps heureux qu'ils avaient passés ensemble, Philip et elle, à l'époque où ce jeune homme de bonne famille était toute sa vie... Mais elle s'était aussi souvenue avec douleur de la raison si injuste, si cruelle pour laquelle il l'avait quittée. Huit semaines après leurs fiançailles, alors qu'ils rentraient du cinéma, un chauffard enivré les avait percutés. Philip s'en était sorti indemne, mais Misty avait eu besoin d'une intervention chirurgicale pour se rétablir. Or, cette opération avait eu comme lourde conséquence de la priver de la capacité d'enfanter. Refusant d'envisager un avenir sans progéniture, Philip, les larmes aux yeux, avait résolu de la quitter, lui expliquant que malgré tout l'amour qu'il continuait à lui porter, il ne pouvait plus envisager de faire sa vie avec elle...

A la sortie de l'ascenseur, Andracchi plaça de nouveau une main sur la taille de Misty.

— Je ne vois personne à part nous deux, alors ne me touchez pas ! lança-t-elle d'un ton cassant.

3.

Encore profondément troublée par sa courte entrevue avec Philip, Misty pénétra dans la suite luxueuse qu'occupait Leone. Jamais elle n'aurait cru que le simple fait de revoir son ex-fiancé la déstabiliserait autant. La douleur de leur rupture était toujours vive, comme la vexation d'avoir été rejetée à cause de son incapacité à enfanter. Pourtant, ces trois dernières années, en se consacrant tout entière à son activité professionnelle, elle s'était efforcée de reconstruire sa vie et de mettre de côté son espoir de fonder d'une famille.

— Vous voulez boire quelque chose ? demanda Leone, interrompant le cours de ses réflexions.

— Non, merci.

— Cela pourrait vous aider à vous calmer un peu...

— Mais je suis parfaitement calme ! Et cessez de prendre ce ton condescendant lorsque vous m'adressez la parole !

Le manque absolu de délicatesse de Leone à son égard l'irritait plus que tout. Etre son employeur ne le dispensait pas de faire preuve d'un savoir-vivre élémentaire !

Une lueur amusée passa dans les yeux d'ébène de son compagnon.

— Je n'arrive pas à croire qu'une femme comme vous puisse perdre son sang-froid à cause de ce blondinet.

— Personne ne vous donne le droit de parler de Philip en ces termes ! Il n'est pas celui que vous croyez...

— C'est un faible. Je l'ai vu au premier coup d'œil, et je suis sûr que vous pensez comme moi.

Leone plongea son regard dans celui de Misty, la défiant de le contredire.

— Vous vous trompez. Philip est une personne sensible, voilà tout. Votre agressivité envers lui était inexcusable.

— Pourtant mon attitude vous a plu — c'était celle d'un homme, d'un vrai, rétorqua Leone d'une voix grave.

Misty voulut protester, mais les mots lui restèrent en travers de la gorge. Elle n'avait pu s'empêcher de remarquer que, comparé à Andracchi, Philip faisait figure de jeune garçon fluet. Il fallait bien l'avouer, son ex-fiancé n'avait rien de la virilité ténébreuse du Sicilien...

— Vous vous faites des idées, monsieur Andracchi, dit-elle sans conviction.

— Ah oui, vraiment ? répondit-il en arquant un sourcil ironique.

Comme hypnotisée par les yeux de braise de son interlocuteur, Misty ne put s'empêcher de détailler son visage. Des pommettes saillantes et une mâchoire carrée encadraient un nez aquilin et des lèvres qui étaient la sensualité même... La lumière tamisée de la chambre accentuait encore la perfection inquiétante de ses traits, et lui conférait une beauté presque surnaturelle.

46

La gorge nouée, Misty se sentit rougir malgré elle, tandis qu'une douce chaleur irradiait peu à peu depuis la partie la plus intime de son corps. Sa respiration devint plus saccadée, et toute son attention se focalisa sur la silhouette masculine qui la troublait tant.

— Je vous désire, et vous me désirez… mais il ne se passera rien entre nous, susurra Leone sans la quitter des yeux. Nous n'entretiendrons que des rapports professionnels : je ne veux pas de complications inutiles.

Confuse de la facilité avec laquelle son employeur avait su lire en elle, Misty se retourna brusquement et s'approcha de la fenêtre située de l'autre côté de la pièce. S'efforçant de maîtriser les battements de son cœur, elle sursauta pourtant lorsqu'un coup sec retentit à la porte de la chambre.

Leone l'ouvrit, et un jeune homme en complet gris lui tendit quelques feuillets reliés.

— Voici, rédigé en bonne et due forme, le contrat que je vous propose, lança Leone en reprenant un ton d'homme d'affaires. Si vous voulez bien le lire et le signer, nous pourrons ensuite discuter des détails plus… particuliers de notre accord.

Misty prit le document, et l'étudia soigneusement. Il ne s'agissait que des conditions légales d'embauche habituelles, et il n'était nulle part fait mention du rôle de « maîtresse » qu'elle devrait jouer. La rémunération que Leone lui offrait pour ses services était proprement faramineuse : elle lui permettrait de rembourser l'hypothèque de Fossets, de régler ses dettes à elle, ainsi que de payer ses employés et ses fournisseurs. Une seule clause la gênait pourtant : celle qui stipulait que seul son employeur pouvait décider du moment où le contrat prendrait fin. En outre, si elle décidait de rompre leur accord avant cette date, nulle somme d'argent ne lui serait versée.

Elle indiqua à Leone la clause en question, et lui fit part de ses réticences.

— Je ne modifierai ce contrat en rien, mademoiselle Carlton, et je tiens à cette condition plus qu'à toute autre, répondit Leone, le visage impassible. Imaginez ce que vous voudrez, mais je puis vous assurer que je n'exigerai rien de vous qui soit immoral, illégal ou dangereux.

Encore heureux ! songea Misty avec une légère ironie.

Elle comprenait à présent qu'il était évident qu'Andracchi ne s'expliquerait pas sur les motifs qui le poussaient à l'engager. De plus, elle ne pouvait se permettre de refuser une offre si alléchante… Inspirant profondément, elle prit le stylo et apposa sa signature au bas du contrat.

— Parfait ! s'exclama Leone. J'enverrai une voiture vous chercher à 9 heures précises lundi prochain.

— Lundi prochain ! Mais ce n'est que dans six jours ! coupa Misty.

— Je veux que notre petite mise en scène soit au point d'ici le week-end suivant, rétorqua Leone sans sourciller. Inscrivez vos mensurations sur ce calepin, je m'occuperai de vous procurer une nouvelle garde-robe.

— J'ai déjà quelques tenues tout à fait présentables, s'écria Misty, vexée par ce mépris non dissimulé.

— Peut-être… Disons alors que je n'aime pas le genre « starlette du rock ». Je préfère un style plus raffiné, plus sophistiqué.

Misty se raidit. La façon dont il avait qualifié son accoutrement signifiait que Leone était au courant de son aventure avec Flash. Nul doute qu'il pensait que le chanteur et elle avaient été amants, comme Flash s'était empressé de le laisser entendre dès qu'elle avait commencé à le fréquenter plus régulièrement... Mais de quel droit au juste l'homme d'affaires s'était-il renseigné sur son passé ?

— Je vois que vous avez mené une véritable enquête à mon sujet, monsieur Andracchi, lança-t-elle d'un ton sec. Si certains détails vous ont échappé, peut-être pourrais-je vous être utile ? A moins que cela ne vous amuse de continuer vos investigations ?

Leone lui sourit avec condescendance.

— Mademoiselle Carlton, dit-il lentement, pensiez-vous vraiment que je vous aurais proposé un tel travail sans m'être informé auparavant de la personne que vous étiez ? Ne me faites pas croire que vous êtes si naïve.

Misty rougit de nouveau, irritée par la suffisance d'Andracchi autant que par le sentiment de sa propre ingénuité. Ce n'était pas avec des remarques pareilles qu'elle allait en imposer au magnat des affaires, songea-t-elle. Même si l'intrusion de celui-ci dans sa vie privée était inadmissible !

— Les vêtements que je porte sont d'une élégance irréprochable, lança-t-elle en guise d'ultime défense.

Leone soupira avec exaspération.

— Dites-moi, il ne me semble pas avoir inscrit dans votre contrat que vous deviez systématiquement me contredire ! Avez-vous toujours autant de mal à obéir, dans la vie ?

Les lèvres pressées durement l'une contre l'autre, Misty hocha la tête et jeta un regard incandescent à son employeur.

— Bien, poursuivit Leone. Lundi prochain, donc, vous déménagerez dans l'appartement londonien que nous partagerons, puis des professionnels se chargeront de vous donner une apparence, disons, plus chic. Le soir même, en effet, nous nous rendrons à une réception, et j'entends bien que l'on se souvienne de votre passage.

Avec un soupir, Misty se leva. Elle en avait assez entendu pour aujourd'hui.

— Puisque vous avez déjà mis au point tous les détails de notre arrangement, il me semble qu'il n'y a plus rien à ajouter, non ? Je souhaiterais rentrer chez moi au plus vite, si vous le permettez.

Leone acquiesça en silence avant de lui ouvrir la porte de la chambre.

— Je vous raccompagne jusqu'à votre voiture, lança-t-il au moment où elle sortait.

— C'est inutile…, commença à répondre Misty, avant de comprendre qu'il ne servait à rien de discuter.

Ils prirent l'ascenseur ensemble sans échanger un seul mot, Misty s'efforçant de ne pas croiser le regard de son terrible employeur. Arrivée au rez-de-chaussée, elle s'empressa de gagner le perron de l'hôtel, quand Leone lui saisit soudain la main.

— Quoi encore ? s'écria-t-elle, à bout de nerfs.

— Arrête de te mentir, *amore*, et avoue que ça te plaît, susurra Leone à son oreille.

L'attirant doucement vers lui, il captura ses lèvres dans un baiser ardent. Une fois de plus, Misty sentit son corps répondre avec une brûlante intensité aux sollicitations de Leone. Frissonnante, elle laissa s'échapper un gémissement de plaisir.

— Félicitations. Vous simulez remarquablement bien, la congratula ironiquement Leone lorsqu'il l'eut relâchée. On y croirait.

— Comment osez-vous ?

— Allons, vous n'allez pas vous mettre en colère ici, devant tout le monde, mademoiselle Carlton ?

Misty retira brusquement sa main de celle de Leone, et lui jeta un regard noir.

— Bonsoir, lâcha-t-elle d'un ton glacial, avant de descendre les marches du perron.

Au milieu du parking, elle se retourna et vit qu'Andracchi surveillait sa progression depuis le haut de l'escalier. Malgré l'irritation qu'elle ressentait, elle était loin d'être aussi rassurée qu'elle voulait le faire croire. Se retrouver seule dans un parking sombre était impressionnant, aussi fut-elle soulagée de savoir qu'un œil protecteur veillait sur elle.

Alors qu'elle cherchait ses clés dans son sac à main, une silhouette masculine surgit de derrière sa voiture. Elle poussa cri d'effroi.

— Ne crains rien, Misty, ce n'est que moi, murmura Philip en s'approchant d'elle. J'ai reconnu ta voiture, et...

— Tu m'as fait une peur bleue ! coupa Misty, qui avait eu assez d'émotions fortes pour la journée.

— Excuse-moi, mais j'ai pensé que l'on serait plus à l'aise pour bavarder ici qu'à Fossets, où je doute que je sois vraiment en odeur de sainteté...

— Nous n'avons rien à nous dire, Philip. Crois-moi, je suis sincèrement désolée que ton mariage avec Helen se soit mal terminé, mais nous n'avons plus de raison de nous voir.

Misty se remit à fouiller fébrilement son sac, faisant mine d'ignorer son ex-fiancé.

— Ecoute, Misty, je n'ai jamais cessé de penser à toi, de t'aimer — c'était stupide de ma part d'épouser Helen. Peut-être que nous deux...

— Tu n'as pas le droit de me dire des choses pareilles, Philip, pas après ce qui s'est passé... Je t'en prie, rentre chez toi.

— Tu l'as entendue, Redding... Disparais ! coupa Leone d'une voix masculine qui tranchait avec le ton pleurnichard de Philip.

Misty accueillit l'arrivée de son employeur comme une bénédiction. Sa silhouette virile s'interposait déjà entre Philip et elle, et le jeune homme avait reculé de plusieurs mètres, impressionné par l'air menaçant de Leone. Saisissant enfin ses clés, Misty se glissa au volant de sa voiture le plus rapidement qu'elle le put.

— Cet idiot vous a effrayée ? demanda Leone.

— Non, pas du tout, répondit-elle sans penser ce qu'elle disait.

Leone ne disant rien de plus, elle fit démarrer la voiture et quitta le parking à vive allure. Bientôt, cependant, les larmes lui brouillèrent trop la vue pour qu'elle continue sa route. Garée sur le bas-côté, elle laissa libre cours à son chagrin. Bien sûr, elle n'était plus amoureuse de Philip, mais les souvenirs de leur relation la faisaient encore terriblement souffrir. Comment pouvait-il croire qu'elle serait prête à recommencer une histoire avec lui ?

Six mois après l'avoir quittée, il avait épousé une jeune femme de bonne famille qui, un an après leur mariage, avait accouché d'un petit garçon. Si elle avait réussi à éviter Philip pendant ces trois dernières années, Misty avait pourtant quelquefois croisé sa femme et son enfant — cruel rappel de la joie d'enfanter qu'elle ne connaîtrait jamais.

Elle inspira profondément, puis reprit la route. Après sa rupture avec Philip, elle s'était forcée à sortir de nouveau, surtout pour faire plaisir à Birdie. Mais tous les compagnons qu'elle avait fréquentés lui avaient exposé le même projet d'avenir : avoir des enfants et fonder une famille. Aussi avait-elle mis un terme à chacune de ces relations sans jamais avoir le courage d'expliquer la véritable raison de sa décision.

Pour faire taire en elle le sentiment d'échec que lui procurait sa stérilité, elle s'était alors concentrée sur sa vie professionnelle... et cette stratégie s'était avérée tout à fait payante, jusqu'à ce que Leone Andracchi entre dans sa vie. Ce ténébreux séducteur avait réveillé la féminité qui sommeillait au plus profond d'elle-même, et avec celle-ci son cortège de désirs, d'incertitudes et d'espoirs. En sa présence, elle n'avait qu'un contrôle très relatif de ses émotions, et nul doute qu'il pourrait lui faire perdre toute retenue s'il le souhaitait...

Elle soupira. Il y avait quelque chose d'enivrant à se sentir de nouveau femme, mais elle craignait fort d'aller au devant de nouvelles souffrances. Qu'y avait-il à espérer de la part d'un être comme Andracchi ? Certes, il s'était assuré qu'elle regagne sa voiture saine et sauve, et il s'était interposé lorsque Philip s'était montré trop insistant, mais il ne faisait que jouer son rôle d'amant possessif.

Clarice lui avait montré divers magazines où étaient détaillées ses innombrables conquêtes : il n'était pas homme à s'investir dans une histoire durable. Il affectionnait plutôt de passer d'une femme à une autre, chacune n'étant l'objet que d'un intérêt éphémère. Celles qui en avaient attendu plus du richissime play-boy s'en étaient mordu les doigts. En un mot, songea Misty, elle ne pouvait se permettre de tomber amoureuse...

Le lundi suivant, une Limousine vint à Fossets chercher Misty. Quelques heures plus tard, le chauffeur sortait deux valises du coffre tandis que la jeune femme contemplait l'immeuble de grand standing où se trouvait l'appartement de Leone.

Au cours de ces derniers jours, elle s'était occupée de fermer son entreprise, expliquant partiellement la situation à ses employés incrédules. Sentant le moment de son départ approcher, elle s'était sentie gagnée par une espèce d'excitation enfantine — même si elle aimait Birdie de tout son cœur, force était d'avouer que sa vie n'avait pas été rose tous les jours depuis trois ans, et que quelques mois loin des soucis du monde de la restauration seraient les bienvenus. Elle avait cependant passé le week-end entier avec sa mère adoptive, lui promettant que son absence ne se prolongerait pas trop.

Misty jeta un coup d'œil dans le miroir de l'ascenseur qui l'emmenait jusqu'à l'appartement. Ses sempiternels traits tirés témoignaient de la difficulté qu'elle avait eue à se remettre de sa rupture avec Philip. Elle avait tant bataillé au cours de son existence pour avoir confiance en elle-même et en autrui que lorsque tout s'était écroulé d'un coup... elle avait failli succomber à une mélancolie durable. Seule la tendresse inépuisable de Birdie lui avait permis d'affronter de nouveau la vie avec courage.

Tant d'espoirs avaient été cruellement déçus, tant de promesses ne s'étaient révélées que de pieux mensonges ! Misty se souvint de sa mère lui assurant qu'elle reviendrait la chercher « dès que la situation le permettrait », et qu'elle n'avait pas revue depuis l'âge de 5 ans...

Des années plus tard, elle avait découvert avec stupeur que celle-ci s'était remariée à peine 18 mois après l'avoir placée dans une institution, et qu'il n'avait jamais été question que Misty intègre ce nouveau foyer, puisque sa mère n'avait même pas révélé l'existence de sa fille illégitime à son époux.

Un homme âgé l'accueillit à la porte de l'appartement, et se présenta comme étant Alfredo. Elle s'avança dans un grand lobby de marbre blanc, que décoraient quelques toiles abstraites. Le mobilier était très « tendance », mais sobre, et l'ensemble avait une allure somme toute plutôt froide. Voilà qui tranchait avec l'ambiance familiale de Fossets ! songea Misty avec un soupir. Mais il fallait s'y attendre : la vie que menait Leone était certainement très différente de la sienne.

Alfredo lui tendit la liste de ses rendez-vous pour la journée. Parcourant la feuille d'un rapide coup d'œil, Misty comprit soudain que son après-midi n'aurait rien de reposant...

Après avoir fait, lui sembla-t-il, le tour complet des salons de beauté de la ville, Misty regagna la limousine et demanda au chauffeur de la ramener à l'appartement. Le téléphone de la voiture sonna : c'était Leone.

— Je passerai vous prendre à 7 heures, annonça celui-ci d'un ton qui ne souffrait aucune contestation.

— Où allons-nous ?

— A la première d'un film. Pensez à mettre les bijoux que j'ai disposés sur votre table de chevet.

Une telle perspective déconcerta quelque peu Misty, qui ne s'attendait pas à assister à un événement si mondain dès le premier soir.

De retour chez Leone, elle découvrit que ses valises avaient été vidées, leur contenu rangé dans l'armoire de la chambre. Sur le guéridon près de son lit se trouvait une boîte en forme de cœur : à l'intérieur, un magnifique collier de diamants et des boucles d'oreilles assorties brillaient de mille feux. En plus de ses vêtements, remarqua-t-elle, quelques tenues de soirée avaient été placées dans la garde-robe, sans doute pour répondre au souci de Leone de la voir s'habiller plus « élégamment ». Elle sélectionna une longue robe de soie argentée qui découvrait ses épaules, mit le collier et les boucles d'oreilles ; après quoi, elle se dirigea vers la salle de bains et entreprit de se maquiller soigneusement.

A 7 h 30, elle pénétra dans le salon, où Leone l'attendait. Debout devant la baie vitrée, il contemplait la ville en contrebas. Même de dos, songea Misty, sa prestance naturelle et sa stature athlétique lui conféraient une allure hors du commun.

— Je n'aime pas attendre, dit-il sans même se retourner.

— Vous ne m'avez pas donné beaucoup de temps pour me préparer, protesta Misty.

56

— Pas beaucoup de temps ! *Dio mio* ! Vous avez eu tout l'après-midi !

Il posa enfin ses yeux de jais sur elle, puis haussa un sourcil admiratif.

— Vous êtes tout à fait splendide. Je l'ai su dès le premier regard : seule la haute couture est digne d'habiller une femme comme vous.

— Merci.

Misty avait conscience de n'avoir jamais été si belle. Les diamants étincelaient sous sa chevelure auburn, qui retombait en cascade sur la peau laiteuse de ses épaules ; quant à la robe de soie qu'elle avait choisie, elle épousait parfaitement les contours de son corps, lui dessinant une silhouette d'une subtile sensualité. Ses yeux clairs contrastaient avec le rouge profond de ses lèvres, et son visage semblait briller d'une lumière nouvelle, intense et insoupçonnée.

— Cela ne signifie pas que vous soyez pardonnée de m'avoir fait attendre, reprit Leone lorsqu'il l'eut suffisamment contemplée.

— Mieux vaut vous y habituer, répliqua Misty avec une audace qui la surprit elle-même. J'arrive toujours en retard lorsqu'il ne s'agit pas d'affaires professionnelles.

— Vous semblez oublier que vous n'êtes ici qu'en tant qu'employée, mademoiselle Carlton. Entre nous, il s'agit bien d'un contrat d'affaires.

— Dans ce cas, cessez de me regardez ainsi !

Elle n'avait pu réprimer un frisson de plaisir en sentant Leone la dévorer du regard, et cette réaction l'inquiétait. Andracchi avait raison, elle n'était à Londres que pour remplir son contrat !

Dans la limousine, Misty sentit l'appréhension la gagner à la perspective de sa première véritable apparition publique au bras de Leone.

— J'apprécierais quand même de savoir à quoi rime toute cette mascarade, lança-t-elle après quelques minutes.

Leone lui jeta un regard indéchiffrable, et passa la main dans son abondante chevelure d'ébène.

— Je vous ai déjà précisé que mes motifs resteraient secrets jusqu'à ce que je juge opportun de vous les révéler. Ne m'obligez pas à me répéter, mademoiselle Carlton, je vous en prie.

— Mais j'ai l'impression d'être une jolie poupée que vous vous êtes amusé à habiller !

— Vous préféreriez que je vous déshabille ? répondit son compagnon d'une voix sulfureuse.

Misty rougit, soudain consciente de la dangereuse proximité de Leone... et garda prudemment le silence pendant le reste du trajet.

Avant même qu'ils n'arrivent à la salle de cinéma, une horde de journalistes se précipita vers la limousine.

Misty sortit de la berline sous une mitraille de flashes éblouissants, tandis que des questions fusaient de toute part en direction de son amant supposé. Celui-ci faisait preuve d'un sang-froid impressionnant, et se contentait d'ignorer les paparazzi en affichant un grand sourire. S'efforçant de l'imiter, Misty ne parvint qu'à esquisser un sourire crispé : elle n'avait pas été préparée à subir un tel assaut.

A quelques mètres de l'entrée du cinéma, Leone la serra contre lui et l'embrassa devant la foule enthousiaste. Toutefois, ce baiser froid, destiné seulement aux regards avides des badauds et des photographes, laissa Misty indifférente. Elle souhaitait échapper au plus vite à cette détestable cohue.

Une pensée inquiétante lui traversa soudain l'esprit : que faire si Birdie apercevait une de ces photos dans un magazine ? Comment s'expliquerait-elle auprès de sa mère adoptive, alors qu'elle lui avait affirmé être partie à Londres pour travailler ?

Elle n'eut pas le temps de répondre à ces questions car déjà, Leone l'entraînait à l'intérieur du cinéma, la guidant jusqu'aux places qui leur étaient réservées. Profitant du silence relatif qui régnait dans la salle, Misty se tourna vers son compagnon d'un air irrité.

— Vous auriez pu me prévenir qu'il y aurait autant de monde pour nous accueillir !

Leone arqua un sourcil sardonique dans sa direction.

— Pourquoi pensiez-vous que j'avais dépensé une fortune pour vous habiller ? Pour le simple plaisir de le faire ? répliqua-t-il froidement.

— La courtoisie ne coûte rien, que je sache !

Leone ne répondit pas, et la projection commença bientôt. Il s'agissait d'un film à suspense, que Misty suivit avec intérêt, soulagée de pouvoir laisser ses soucis de côté pendant un moment. La séance terminée, ils regagnèrent la limousine tant bien que mal, affrontant de nouveau l'attroupement de journalistes devant le cinéma.

— Pourquoi avoir joué les jeunes filles prudes ? demanda Leone d'une voix dure. Nous sommes censés donner l'image d'un couple amoureux et épanoui !

Misty lui jeta un regard noir.

— Je n'aime pas que des inconnus me dévisagent et me photographient comme si j'étais une bête curieuse, rétorqua-t-elle. Je n'ai pas encore perdu tout sentiment de pudeur !

— Ah, non ? Excusez-moi, mais j'avais l'impression du contraire. Peut-être était-ce parce que j'avais visionné ceci, enchaîna Leone en extrayant un DVD de son attaché-case.

Il inséra le disque dans le lecteur numérique de la limousine, et appuya sur la touche « envoi ». Misty contempla l'écran avec curiosité et appréhension... puis reconnut avec un frisson de quoi il s'agissait. C'était un concert de Flash, au cours duquel elle avait dansé avec enthousiasme sur le devant de la scène, dans une robe bien trop courte. Ses déhanchements suggestifs devant des milliers de spectateurs fascinés n'avaient en effet rien de très pudique !

Le visage rouge de honte, Misty détourna le regard. Elle ne s'était jamais sentie aussi humiliée de sa vie.

— Arrêtez ça, je vous en prie ! Je... j'avais trop bu, et puis tout cela était l'idée de Flash !

Leone se contenta de lui adresser un sourire sarcastique. Dieu seul savait comment son terrible employeur avait pu se procurer un tel enregistrement ! songea Misty en serrant les dents. Elle n'était même pas au courant que le concert avait été filmé !

— Où était passée votre timidité naturelle ce soir-là, mademoiselle Carlton ? J'ai du mal à en voir trace sur ces images..., lâcha-t-il d'un ton moqueur.

Ç'en était plus que Misty ne pouvait supporter. Elle se jeta sur l'homme d'affaires en essayant de lui ravir la télécommande des mains... mais échoua, et se retrouva plaquée contre lui dans une position pour le moins équivoque, sa robe relevée bien au-delà du raisonnable. Leone plaça une main sur sa taille et lui jeta un regard brûlant, des reflets dorés illuminant ses yeux de jais.

— Lâchez-moi ! s'écria Misty, troublée par l'érotisme soudain de la situation.

Mais Leone l'étreignit plus intimement au contraire, et elle sentit une vague de désir l'emporter, tandis que son compagnon gratifiait son cou d'une pluie de baisers ravageurs.

— *Dio*…, murmura Leone dans un souffle, je ne peux plus m'arrêter…

4.

Le cœur battant à tout rompre, Misty se cambra, cédant à l'onde de volupté qui parcourait son corps. Leone semblait en proie à un désir sauvage ; sans cesser de l'embrasser, il fit glisser les bretelles de sa robe de soirée, découvrant sa poitrine nue. Prenant un sein dans la paume de sa main, il se mit à en taquiner l'extrémité qui se durcit aussitôt sous l'effet de cette caresse.

Haletant sous la caresse diabolique de Leone, Misty ne put réprimer un gémissement de plaisir lorsque sa bouche prit le relais, capturant un de ses tétons dans un mouvement de succion ô combien érotique.

— Je te veux, *amore*, murmura Leone d'une voix rauque lorsqu'il releva la tête. Je vais te faire l'amour ici, puis te ramener à l'appartement et continuer toute la nuit.

Etourdie par un torrent de sensations exquises, Misty entendait une petite voix au fond d'elle-même qui lui intimait de reprendre ses esprits. Voulait-elle vraiment perdre sa virginité à l'arrière d'une limousine ? Leone méritait-il d'obtenir ce qu'elle avait refusé à Philip et à Flash ? N'avait-elle aucune dignité, pour offrir ce qu'elle avait de plus précieux à un play-boy qui l'oublierait sans doute aussi rapidement qu'il l'avait séduite ?

Prise de doutes, Misty eut un mouvement de recul qui n'échappa pas à Leone. S'arrêtant net, il la dévisagea de ses yeux obscurcis par le désir.

— Quelque chose ne va pas ?

Sans répondre, Misty baissa le regard. Voulant recouvrir sa poitrine, elle attrapa le tissu du décolleté et le tira vers le haut... mais ne réussit qu'à le déchirer dans un effroyable craquement.

— La soie est un matériau très délicat, *amore*, déclara Leone avec un sourire amusé. Mais veux-tu bien me dire ce qui se passe ? Tu n'as plus envie... ?

Revenant à elle, Misty trouva enfin la force de répondre.

— C'est-à-dire que... je ne pense pas que vous et moi — je veux dire toi et moi —, ce soit une bonne idée. Mieux vaut que notre relation demeure strictement professionnelle, comme nous en étions convenus au départ, articula-t-elle, encore confuse de se retrouver dans pareille situation.

— Tu veux que j'inclue les relations sexuelles dans ton contrat ? demanda Leone d'une voix chargée de convoitise.

Cette question, si typique d'un mufle, mit la jeune femme hors d'elle. Et dire qu'elle avait failli céder aux avances de ce rustre ! D'un geste vif, elle leva le bras et lui adressa une gifle cinglante.

— Pour qui me prends-tu ? Une prostituée, que tu peux acheter à ta guise ?

Un silence électrique s'installa entre eux. Une marque rouge se dessina sur le visage de Leone, là où la main

64

de Misty l'avait frappé, et l'homme d'affaires contempla la jeune femme avec une fureur contenue.

— A aucun moment je ne t'ai forcée à faire quoi que ce soit, murmura-t-il entre ses dents. Et je t'ai relâchée avant même que tu ne dises un mot. Rien ne justifie cet acte puéril.

Sans répondre, Misty, tremblante, entreprit de rajuster ses affaires.

Avec un soupir exaspéré, Leone frappa contre la vitre du chauffeur, qui démarra et les conduisit jusqu'à l'appartement. Sortant de la limousine, Misty frissonna dans l'air frais de la nuit, et fut reconnaissante lorsque Leone offrit sa veste pour lui couvrir les épaules. Un bras autour d'elle, il la conduisit jusque dans le hall de l'immeuble, et ils s'engouffrèrent dans l'ascenseur.

— Bonne nuit, Misty, dit Leone quand ils eurent pénétré dans le lobby.

— Où vas-tu ? demanda-t-elle, un peu déconcertée.

— Prendre une douche froide, répondit-il avec un sourire sarcastique. Je partirai très tôt demain, et nous nous reverrons seulement vendredi. Tu peux te réjouir : nous partirons en week-end dans un authentique château écossais !

Intriguée mais épuisée, Misty regagna sa chambre et se mit au lit. Le sommeil tardant à venir, elle se surprit à imaginer Leone sous la douche... puis chassa rapidement de telles pensées de son esprit.

Lorsque, par le passé, ses amies lui parlaient d'un homme qu'elles trouvaient irrésistible, elle n'avait jamais vraiment pu les prendre au mot. Après tout, se disait-elle à l'époque, elle-même ne trouvait *personne* irrésistible, pas même Philip, avec qui elle était pourtant fiancée.

Il faut dire qu'elle se méfiait par-dessus tout des élans de sa libido...

Dès l'adolescence, en effet, elle s'était promis de ne pas répéter les erreurs de sa mère. Celle-ci, confondant désir et amour, avait navigué d'une relation superficielle à une autre... au prix d'une vie de souffrances continuelles pour elle-même et pour ses proches. Aussi, quand Misty avait rencontré Philip au lycée, avait-elle d'emblée tenté de construire une relation durable avec ce jeune homme timide et romantique.

La mère de Philip avait désapprouvé ouvertement le choix de son fils, sous prétexte que Misty était « une fille de rien, qui ne savait même qui était son père » — mais Philip avait su tenir tête à sa mère, et s'était fiancé malgré tout avec l'élue de son cœur. Pour le remercier de cet acte d'amour, et parce qu'elle se sentait enfin assez en confiance pour le faire, Misty avait promis de passer une nuit avec lui. Philip avait alors loué une petite maison à la campagne pour qu'ils passent le week-end en tête à tête. Hélas, quelques jours avant leur départ, ils avaient eu cet accident et tous leurs projets s'étaient effondrés.

Sombrant dans un sommeil perturbé, Misty se réveilla peu après le lever du jour, et, incapable de se rendormir, décida d'aller prendre son petit déjeuner. A la cuisine, Leone, fraîchement rasé et habillé, buvait un café. Il lui jeta un regard étonné, et elle songea soudain qu'elle ne devait pas avoir l'air très présentable.

— Où pars-tu de si bonne heure ? lança-t-elle, espérant qu'il ne remarquerait pas trop les mèches rebelles de ses cheveux ébouriffés.

— A Paris, se contenta-t-il de répondre.

— A Paris ? J'y avais passé quelques jours avec Flash, lors de sa tournée en France, mais je suis restée dans les coulisses sans visiter la ville...

Le regard de Leone se fit soudain plus insistant, et Misty s'aperçut en rougissant qu'une des bretelles de sa nuisette avait glissé le long de son bras, révélant son épaule nue. Sentant un frisson voluptueux parcourir son corps, elle cherchait désespérément un prétexte pour faire diversion lorsque ses yeux s'arrêtèrent sur un tableau représentant une jeune fille brune.

— Cette peinture est très belle. Qui est-ce ? demanda-t-elle, aussitôt consciente de l'indiscrétion de sa question.

Le visage de Leone s'assombrit, et Misty s'en voulut de sa curiosité.

— C'est ma sœur..., murmura-t-il entre ses dents. Elle est morte.

Inspirant profondément, Misty tenta de s'excuser, mais aucun son ne sortit de sa bouche. Pour la première fois depuis qu'elle avait fait sa connaissance, Leone Andracchi n'affichait plus un air d'homme d'affaires cynique et sûr de lui. Il semblait meurtri, vulnérable.

— Je... Je suis désolée, lâcha-t-elle enfin. Mais au moins tu as eu la chance de la connaître...

— Que veux-tu dire ? répliqua Leone sur un ton brutal.

Misty comprit que sa formule énigmatique pouvait paraître blessante.

— J'ai une sœur jumelle que je n'ai jamais rencontrée, expliqua-t-elle. Nous avons été séparées à la naissance, et élevées dans des institutions puis dans des familles différentes.

Le visage de Leone s'adoucit — son terrible employeur était-il finalement capable de compassion ?

— Adolescente, reprit-elle, j'ai essayé de la contacter via les services d'aide à l'enfance... mais elle m'a envoyé une lettre sans me laisser son adresse, m'affirmant qu'elle ne souhaitait pas renouer avec le passé, et que sa famille d'adoption lui suffisait... Birdie pense qu'elle changera peut-être d'avis avec le temps, et qu'il ne faut pas que je désespère de la retrouver un jour.

Misty se tut, émue par le souvenir de sa déception à la lecture de la missive impersonnelle envoyée par sa sœur. Leone garda lui aussi le silence un moment, puis regarda sa montre et soupira.

— Bien, je dois y aller, dit-il d'une voix grave. Si quelqu'un essaie de te joindre pendant mon absence, surtout ne lui révèle rien du contrat que nous avons passé, et fais semblant d'être ma maîtresse. C'est compris ?

Misty hocha lentement la tête. S'attendait-il à ce qu'elle le trahisse ? Pour l'instant, en tout cas, une question lui brûlait les lèvres.

— Leone, je voulais te demander : est-ce parce que tu as une aventure avec une femme mariée que je dois jouer ce rôle saugrenu ?

Il lui adressa son sourire cynique habituel.

— Je n'ai jamais eu d'histoire avec l'épouse d'un autre, répliqua-t-il. Je ne partage pas les femmes que je choisis d'avoir dans mon lit.

La confiance inébranlable qu'avait Leone en son pouvoir de séduction irritait et fascinait Misty tout à la fois. Une femme lui avait-elle jamais résisté ?

— Non, poursuivit-il, si je juge utile de payer si cher tes... talents, c'est bien pour des raisons d'affaires. Mais il s'agit d'affaires siciliennes : tu ne comprendrais pas.

— Sans doute pas, murmura Misty, tandis que Leone sortait de la pièce et quittait l'appartement d'un pas pressé.

Un jus d'orange à la main, elle feuilleta les quotidiens qu'Alfredo avait disposés sur la table — et fit la grimace : dans le carnet mondain d'un journal auquel Birdie était abonnée figurait un gros plan de son baiser avec Leone devant le cinéma. La légende correspondante indiquait : « la dernière conquête d'Andracchi. »

On distinguait clairement son visage, et Birdie ne pouvait manquer de la reconnaître, songea-t-elle avec un soupir. Dire qu'elle avait affirmé à sa mère adoptive qu'elle était partie à Londres pour travailler ! Qu'allait penser celle-ci d'un mensonge si grossier ?

Finissant son petit déjeuner à la hâte, elle glissa quelques affaires de rechange dans un sac, quitta l'appartement, et prit le premier train pour Fossets. Contemplant la campagne anglaise par la fenêtre du wagon, elle songea avec une certaine appréhension qu'il lui faudrait non seulement s'excuser auprès de Birdie de ne pas lui avoir dit la vérité, mais aussi continuer à lui cacher la nature précise de son « activité » londonienne. Accomplir cette double tâche n'allait pas être chose facile : sa mère adoptive la connaissait comme si elle l'avait faite, et Misty n'avait jamais été très douée pour la dissimulation... Cependant, il était vital que Birdie ne se fasse pas de souci pour elle.

*
* *

Un taxi déposa Misty devant la maison, et elle aperçut Birdie qui lisait sous la véranda. Prenant son courage à deux mains, elle s'avança vers la vieille dame.

— Birdie, je...

— Tu as rencontré l'homme de ta vie et tu ne me disais rien ! la réprimanda Birdie. Mais pourquoi as-tu l'air si anxieux ? Je suis ravie que tu aies enfin trouvé chaussure à ton pied !

Misty ne répondit pas, se demandant quelle version des faits il fallait lui présenter.

— Je vois que vous avez emménagé ensemble, comme font les couples de nos jours, poursuivit Birdie. Bien sûr, je n'approuve pas ce genre de conduite, mais tout de même, tu n'avais pas besoin de me raconter des histoires pareilles !

— Je suis désolée, maman.

— Ma chère, chère petite fille... s'il touche ne serait-ce qu'à un seul de tes cheveux, il aura affaire à moi !

Entendre la frêle sexagénaire lancer des menaces contre le puissant homme d'affaires arracha à Misty un sourire attendri. Les larmes aux yeux, elle serra Birdie dans ses bras...

Le jeudi suivant, rassurée de voir que sa mère adoptive n'avait rien perdu de sa vitalité, Misty repartit pour Londres. Alfredo lui ouvrit la porte de l'appartement pour la contempler d'un air soucieux.

— Les choses seraient peut-être plus faciles si j'avais un double des clés, dit-elle au domestique d'une voix douce.

— Et même trop faciles, peut-être ! lança Leone, qui apparut à la porte du salon. Tu peux oublier cette idée : c'est une liberté que je ne t'accorderai jamais !

Malgré son inquiétude devant l'animosité manifeste de son compagnon, Misty ne put s'empêcher d'apprécier sa stature athlétique, et la virilité presque palpable qui émanait du moindre de ses gestes. La colère conférait à Leone une énergie inhabituelle, qui rendait sa présence plus ensorcelante encore.

— Quel est le problème, Leone ? demanda-t-elle, s'efforçant de conserver un ton neutre.

— Comment ça, « quel est le problème » ? répliqua-t-il avec un geste d'humeur. Quelques minutes après mon départ tu as disparu Dieu sait où pendant trois jours ! Tu croyais peut-être que je ne m'en rendrais pas compte ?

— Je suis allée à Fossets afin de passer un peu de temps avec Birdie.

— Ce n'est pas ce que m'a dit la femme de ménage. J'ai appelé et elle m'a répondu qu'elle ignorait où tu te trouvais.

Misty ferma les yeux et inspira profondément. Une journaliste locale l'avait reconnue sur la photo qui la montrait en train d'embrasser Leone, et avait cherché à obtenir une interview en téléphonant à Fossets. Misty avait immédiatement refusé, chargeant Nancy, la femme de ménage, d'éconduire systématiquement les correspondants intempestifs du même genre en prétextant son absence.

— Où étais-tu donc ? enchaîna Leone, les yeux brillants de colère. Parce que si tu as été retrouver ce Philip Redding, ça va aller mal pour lui !

Misty contempla Leone avec incrédulité. De quel droit exigeait-il de pouvoir décider de ses fréquentations ?

— Tu penses peut-être que je t'appartiens ? lança-t-elle en haussant le ton.

Elle n'allait tout de même pas se laisser impressionner par ce macho incorrigible !

— Pour les semaines à venir, c'est le cas, en effet, répliqua froidement Leone. Et si je te prends à coucher avec d'autres hommes...

— Tu crois vraiment que je ne suis qu'une traînée, ma parole !

— Je préfère ne pas répondre. Les faits parlent d'eux-mêmes. Tu imagines que je ne sais pas reconnaître un alibi quand j'en entends un ?

Réprimant son envie d'adresser une nouvelle gifle à son employeur, Misty eut un petit rire sarcastique.

— Tu as du mal à ce que tes maîtresses te restent fidèles, on dirait, dit-elle lentement. Je comprends que cela soit vexant.

— *Per maraviglia* ! s'écria Leone avec fureur. Jamais aucune femme ne m'a trompé !

Il s'approcha dangereusement d'elle, et elle recula d'un pas. La proximité électrique de Leone l'effrayait... mais attisait en même temps son désir pour lui. Elle aimait qu'il réagisse ainsi à ses provocations.

Il la prit par les épaules, et plongea ses yeux d'ébène dans les siens.

— Etais-tu oui un non avec Redding ces trois derniers jours ? susurra-t-il entre ses dents.

— Non, répondit-elle sans baisser le regard. Tu m'as dit que nous ne nous reverrions que demain, vendredi. Je n'étais pas consignée à l'appartement, que je sache.

Il la contempla encore quelques instants en silence, puis la relâcha brutalement.

— Bien, dit-il d'un ton affairé. Tu m'excuseras, mais j'ai un rendez-vous pour le dîner, et je suis déjà en retard. Tu sais comme les femmes n'aiment pas qu'on les fasse attendre. Je repasserai demain après-midi : nous prendrons l'avion jusqu'à Aberdeen, et là, nous louerons une voiture.

Misty se figea, comme tétanisée par les quelques mots que venait de lâcher Leone, tandis que celui-ci quittait prestement l'appartement.

Avec quelle indifférence il lui avait annoncé qu'il sortait en galante compagnie ! Et s'il ne revenait que le lendemain après-midi, c'est de toute évidence qu'il avait des projets bien précis pour la nuit... Elle frémit en l'imaginant dans les bras d'une autre, plus belle et plus versée qu'elle dans l'art des jeux érotiques.

Il fallait se rendre à l'évidence : elle ne signifiait rien pour lui. Comment aurait-il pu en être autrement ? Avait-elle oublié que leur « relation » n'était qu'un artifice mensonger ? Que pour Leone, elle n'était qu'une employée de plus ?

Misty secoua la tête en retenant des larmes de frustration. L'amour n'était-il donc qu'une suite de déceptions cruelles ?

Le lendemain, elle accueillit Leone avec un sourire froid. A l'aéroport, un paparazzo les attendait — sans aucun doute mandaté par son employeur, songea-t-elle avec amertume. Au moment où Leone voulut l'embrasser pour la photo, Misty détourna le visage, et les lèvres de l'homme d'affaires se posèrent sur sa joue.

— Qu'est-ce qui te prend ? s'enquit Leone d'une voix dure, tandis qu'ils montaient dans l'avion.

— Inutile de nous embrasser sur la bouche pour prouver notre attachement l'un envers l'autre, répondit-elle, faisant mine d'ignorer l'irritation de son interlocuteur. Une simple étreinte devrait suffire…

— Tu as déjà essayé de paraître amoureux en serrant un bloc de glace dans les bras ?

Chacun garda obstinément le silence pendant toute la durée du vol, qui fut retardé au départ comme à l'arrivée par une grève des contrôleurs aériens. Il était après 7 heures du soir lorsqu'ils montèrent dans la voiture de location qui les attendait à Aberdeen, et 10 heures, lorsque Leone se gara devant l'imposante bâtisse où ils devaient passer le week-end.

5.

Misty sortit de la berline et frissonna dans l'air froid de la nuit écossaise. Elle s'était endormie quelques kilomètres après leur départ d'Aberdeen, et cette sieste l'avait agréablement détendue. Leone, cependant, affichait toujours une mine aussi contrariée.

— J'ai bien peur que tu ne te sois réveillée pour rien, lança-t-il, debout devant l'immense porte à double battant du château. Voici plusieurs minutes que je sonne sans que personne ne me réponde. De plus, j'ai tenté trois fois pendant notre voyage d'appeler nos hôtes, les Garrison, pour les prévenir de notre retard, mais sans succès. Ils doivent pourtant avoir une foule de domestiques pour s'occuper de cette propriété !

Mais au moment où Leone repartait vers la voiture, décidé à passer la nuit dans l'hôtel le plus proche, un des battants de la porte s'ouvrit lentement, et un vieil homme au visage lugubre apparut sur le seuil.

— Mon Dieu, vous allez réveiller tout le château avec votre vacarme ! Songez qu'il est 10 heures passées ! grommela-t-il d'une voix chevrotante. Enfin, je suppose que je dois vous laisser entrer. Monsieur et madame

Andracchi, n'est-ce pas ? Bienvenus au château d'Eyrie. Mon nom est Murdo, pour vous servir.

Misty réprima un sourire tandis que Leone contemplait le vieux domestique avec incrédulité. Le tout-puissant patron d'Andracchi S. A. ne devait pas être habitué à recevoir un tel accueil !

Murdo leur fit signe de le suivre, et ils pénétrèrent dans un vaste hall, tout juste éclairé par les restes incandescents d'un feu de cheminée.

— Nous voudrions nous excuser auprès de nos hôtes d'être arrivés si tard, lança Leone.

— C'est impossible, monsieur, du moins ce soir, répliqua le domestique. Ils sont déjà au lit. Vous comprenez, à moins d'une occasion exceptionnelle, nous tenons à garder des horaires raisonnables, au château d'Eyrie.

Il y avait un soupçon de reproche dans la voix du domestique, et Leone eut un geste d'exaspération.

— Eh bien, conduisez-nous donc à notre chambre, lâcha-t-il d'un ton sec.

Sans dire un mot, Murdo les mena le long d'un couloir sombre et glacé jusqu'à une porte en chêne, qui s'ouvrit avec un grincement.

— La voici. Si vous avez faim, la cuisine se trouve plus loin à gauche. Bonne nuit.

Sur ces mots, le vieil homme disparut aussi brusquement qu'il était apparu.

Dès qu'ils eurent déposé leurs affaires, Leone ferma la porte de leur chambre et lança plusieurs jurons en sicilien.

— *Per maraviglia* ! Est-ce une façon de traiter des invités ? Rien pour le dîner, et une pièce qui n'est

76

même pas chauffée ! Je suis sûr que les draps sont humides...

Misty s'attarda quelques instants à contempler les magnifiques tentures anciennes accrochées au mur, les fines sculptures qui ornaient la cheminée, et le lit à baldaquin massif qui trônait au milieu de la chambre.

— Allons, Leone, détends-toi, suggéra-t-elle doucement. Apprécie plutôt l'ambiance chargée d'histoire de ce château...

— Le mobilier est en effet d'époque, répliqua Leone d'une voix sarcastique. Tout comme la salle de bains... les robinets sont rouillés !

— Ecoute, pourquoi n'allumerais-tu pas un feu dans la cheminée, pendant que je vais chercher de quoi nous faire un repas dans la cuisine ? Essayons de prendre les choses du bon côté.

Leone poussa un grognement que Misty décida d'interpréter comme un acquiescement à sa proposition. Sortant donc de la chambre, elle se dirigea vers la cuisine sur la pointe des pieds : leurs hôtes, songea-t-elle, ou bien peut-être d'autres invités, dormaient sans doute dans l'une des pièces adjacentes.

La cuisine, malheureusement, était aussi vaste qu'elle était vide. Le réfrigérateur contenait néanmoins de quoi confectionner quelques sandwichs. Après avoir préparé leur en-cas, Misty le disposa sur un plateau, avant de repartir vers la chambre où le feu préparé par Leone crépitait déjà. Les flammes emplissaient la pièce d'une chaleur et d'une lumière réjouissantes. Ce château n'était pas si lugubre, après tout !

Son enthousiasme fut cependant brutalement refroidi lorsqu'elle se rendit compte avec stupeur que la chambre ne comportait qu'un seul lit. Un frisson courut le long de sa nuque. Jamais il n'avait été question que Leone et elle partagent la même couche !

— Il n'y a qu'un lit..., murmura-t-elle, quelque peu désemparée.

Leone, occupé à mettre des bûches dans la cheminée, se tourna vers elle.

— En effet, oui — tout comme il n'y a qu'une seule table de chevet et qu'une seule chaise ! maugréa-t-il. Ah, on ne m'y reprendra plus à passer un week-end en Ecosse !

La mauvaise humeur persistante de son compagnon commençait à agacer Misty. Il réagissait vraiment comme un enfant gâté ! Ignorait-il que tout le monde n'était pas millionnaire comme lui ?

— Arrête donc de te plaindre ! dit-elle d'une voix ferme. Ne vois-tu pas que les Garrison sont sans doute ruinés, et qu'ils s'efforcent malgré tout de rester dans le château familial, en sacrifiant leur confort ?

— Tu te trompes complètement, ma chère, répliqua Leone avec un sourire condescendant. Les Garrison sont richissimes, et notoirement pingres. Ils ont fait fortune en sous-payant leurs employés et en montant des usines dans des pays du tiers-monde... Quant au « château familial », il est en vente depuis plusieurs mois. Crois-moi, les Garrison ne méritent pas la moindre compassion.

Misty rougit légèrement, confuse de s'être méprise à ce point. Leone devait la trouver tout à fait ridicule !

— Une bonne douche me fera le plus grand bien, lâcha-t-elle finalement pour donner le change.

Sortant ses affaires de toilette, elle pénétra dans la salle de bains, et ferma la porte à clé derrière elle.

L'eau à peine tiède qui s'écoulait du pommeau de douche l'incita à réduire sa toilette au strict minimum. Après s'être vigoureusement séchée, elle enfila sa nuisette de soie et regagna la chambre.

— Il n'y pas d'eau chaude, lança-t-elle à Leone avec un sourire espiègle.

— *Dio* ! Enfin, je suppose qu'il fallait s'y attendre, répliqua celui-ci avec un soupir.

Son visage prit soudain un air narquois tandis qu'il contemplait ostensiblement Misty d'un œil appréciatif. La jeune femme songea en rougissant que la chemise de nuit qu'elle portait ne devait pas dissimuler grand-chose de son anatomie...

— De toute façon, susurra Leone d'une voix lourde de sous-entendus, je crois que j'aurai encore besoin d'une douche froide ce soir.

Faisant mine d'ignorer la façon dont son corps réagissait aux intonations tentatrices de Leone, Misty se dépêcha de se mettre sous les couvertures, à l'abri de ce regard qui la faisait frémir.

Tandis que Leone achevait sa toilette, elle songea avec appréhension à la nuit qui l'attendait. Elle ne pouvait nier le désir qu'elle éprouvait pour son terrible employeur, un désir d'une intensité inouïe.

Mais ce n'était qu'une attraction purement physique, qui ne signifiait rien. Si brûlante que soit cette impulsion, elle n'avait d'autre choix que de lui résister, car entamer une relation avec un homme comme Leone Andracchi était le plus sûr chemin vers la souffrance et la désillusion. Pour lui, elle ne serait qu'une conquête de plus ; dès que leur contrat s'achèverait, il oublierait certainement jusqu'à son nom.

La porte de la salle de bains s'ouvrit, et Misty ne put s'empêcher de sursauter à la vue de Leone vêtu d'un simple caleçon noir assez moulant. Elle ferma précipitamment les yeux, mais il était déjà trop tard : les images du corps parfait qu'elle avait entrevu défilaient malgré elle dans son esprit, éveillant en elle une chaleur familière. Elle ne pouvait chasser la vision des cheveux d'ébène encore légèrement humides de Leone, des traits virils de son visage latin, de ses larges épaules, de son torse puissant, de ses abdominaux d'acier... « Arrête tout de suite ! » se tança-t-elle, tandis qu'elle sentait le matelas plier sous le poids de Leone qui la rejoignait sous les draps.

— Quelque chose ne va pas, Misty ? lança celui-ci d'une voix amusée.

Elle rouvrit les yeux, et voulut répondre que tout allait parfaitement bien... mais aucun mot ne sortit de sa bouche. Le visage de Leone se trouvait à quelques centimètres du sien ; son compagnon la dévorait du regard, ses yeux de jais brillant d'un éclat d'une intensité presque surnaturelle.

Avant qu'elle ait le temps de réagir, il captura ses lèvres dans un baiser brûlant. Vaincue par l'envie sauvage qui habitait tout son corps, elle s'abandonna fébrilement à ses caresses. Le désir agissait comme un raz-de-marée en elle, et elle comprit que toute tentative pour résister au plaisir qui l'envahissait serait vaine. Tant pis pour ses bonnes résolutions ! Que valaient-elles face au torrent de sensations qui l'étourdissait délicieusement ? Au fond, elle avait toujours attendu ce moment — le moment où elle offrirait enfin son corps à un homme.

Et à ses yeux, cette intimité avec Leone constituait une véritable délivrance.

— C'était inévitable, *amore*, murmura celui-ci d'une voix rauque. Je t'ai désirée dès l'instant où je t'ai aperçue...

— Moi aussi, répliqua-t-elle dans un souffle, passant sa main dans l'abondante chevelure de son compagnon, et s'arquant voluptueusement contre lui tandis qu'il chatouillait des lèvres le lobe de son oreille.

Sa seule crainte était qu'il s'aperçoive qu'elle était vierge. En effet, non seulement la certitude d'être son premier amant nourrirait l'arrogance insupportable de ce macho sicilien, mais, ce qui était plus gênant, il pourrait s'imaginer qu'en lui offrant sa virginité elle attendait de lui plus qu'une simple nuit de jeux érotiques — ce qui était loin d'être le cas. Elle savait qu'elle ne représentait pour lui qu'une façon agréable de passer la nuit, et il en allait de même pour elle...

Car vouloir s'engager dans une relation avec Leone ne l'exposerait qu'à une rebuffade certaine, ce qu'elle ne pouvait se permettre. Elle avait envie d'une nuit de plaisir dans ses bras, voilà tout !

Fort heureusement, Leone se montrait d'une surprenante tendresse. Ce ne fut qu'après de longs préliminaires qu'il la pénétra, si bien qu'elle ne ressentit aucune douleur. Elle put ainsi s'abandonner à la volupté de leur chevauchée érotique comme s'il s'agissait pour elle de la chose la plus naturelle du monde...

Plus tard dans la nuit — comment savoir combien de temps ils avaient passé à faire l'amour ? — Misty se blottit contre l'épaule de Leone, une douce sensation de satisfaction irradiant dans tout son corps. Elle aurait voulu rester ainsi une éternité, et regrettait que l'heure du lever de soleil approche déjà.

— Tu sais, murmura tout à coup Leone d'un air pensif, je crois que je pourrais t'aider à retrouver ta sœur, si tu le voulais.

— Pardon ?

Misty sentit son ventre se crisper. La suggestion de son amant, pour le moins incongrue à un moment comme celui-ci, l'avait tirée de sa délicieuse rêverie et ramenée à une réalité plus triste.

— Tout le monde a le droit d'avoir une famille, poursuivit Leone. Ça ne serait pas difficile, je t'assure, *amore*. Tu tiens à la connaître, non ?

— C'est gentil de proposer ton aide, mais tout ce que tu pourrais faire serait peine perdue, répliqua Misty avec un soupir. Elle ne veut pas me voir. Voilà quatre ans qu'elle a mon adresse et mon numéro de téléphone, et elle n'a même pas essayé une seule fois de me faire signe. La relancer serait inutile, je pense, et je ne tiens pas à souffrir pour rien.

— Allons ! Tu ne trouves pas que tu abandonnes trop facilement la partie ? On dirait que tu as peur...

Piquée au vif par ce commentaire, Misty s'écarta vivement de son amant et le foudroya de ses yeux émeraude.

— Tu as peut-être vu au cinéma beaucoup de belles histoires de familles brisées qui se réconciliaient, lança-t-elle d'un ton amer, mais dans la réalité, les choses ne se passent pas ainsi ! Il n'y a rien de beau ni de romantique dans mon histoire familiale... Il n'y a que la souffrance d'enfants abandonnés et d'une femme livrée à elle-même. Ma mère a eu au moins trois enfants, peut-être plus

— comment le saurais-je ? Et pourquoi devrais-je m'en soucier ? Birdie est ma seule famille à présent.

La colère rendait la nudité resplendissante de Misty plus sulfureuse encore, et Leone se tut un instant, ravi par le spectacle ensorcelant du corps de la jeune femme.

— Vous étiez trois enfants ? s'enquit-il finalement.

— Au moins, oui. J'ai su par les services sociaux que ma mère s'était mariée avec un homme plus âgé avant qu'elle ne rencontre mon père, et qu'ils avaient eu une petite fille ensemble... A l'époque où j'essayais de retracer mes origines familiales, je suis allé voir cet homme, en espérant qu'il puisse me renseigner sur l'identité de mon père, mais il en voulait encore à ma mère de l'avoir quitté. Il l'a traitée de fille facile, et m'a dit de déguerpir de chez lui, en me menaçant avec un fusil. Ç'a été une des expériences les plus pénibles de ma vie.

— Mon Dieu, murmura Leone, je ne savais pas...

— C'était une erreur de vouloir renouer avec le passé. Je dois l'oublier et construire ma propre vie loin de tous ces malheurs.

— Excuse-moi, *amore*, je n'évoquerai plus jamais le sujet.

Hélas, les remarques de Leone avaient rouvert des blessures profondes, qui ne se refermeraient pas si facilement. Secouée par leur discussion, Misty se réfugia dans la salle de bains — là, elle ouvrit le robinet de la douche pour masquer le bruit de ses sanglots et laissa libre cours à son chagrin. Pourquoi lui avait-elle fait des révélations si personnelles ? Qu'avait-il besoin de connaître les détails de sa vie privée ? Mais aussi, pourquoi lui avait-il fait cette étrange proposition au sujet de sa sœur ? Une proposition qui n'avait rien à voir avec le contrat qu'ils avaient signé...

Le chauffe-eau semblait s'être remis en marche, et elle se plongea avec gratitude sous l'eau brûlante. Une dizaine de minutes plus tard, Leone frappa à la porte, puis l'ouvrit, malgré une absence de réponse de la part de Misty. Un courant d'air s'engouffra dans la pièce, la faisant frissonner.

— J'ai déjà utilisé toute l'eau chaude, grommela-t-elle sans daigner lever la tête vers lui.

— Je suis allé voir dans le salon si je pouvais te trouver un remontant digne de ce nom, dit-il d'un ton qu'il voulait enjoué, et je suis tombé en effet sur de l'excellent brandy... mais Murdo a surgi, alors j'ai dû battre en retraite en cachant mon butin.

Misty ne put réprimer un sourire en imaginant cette scène cocasse. Décidément, Leone n'en finissait pas de la surprendre !

— Comme tu le vois, je n'ai pas hésité à prendre tous les risques pour aller te chercher ce satané spiritueux, poursuivit celui-ci. Alors promets-moi d'en boire au moins une gorgée, *amore*. Il est délicieux.

— Promis, répliqua-t-elle, cette fois-ci avec un grand sourire.

Leone savait certainement se faire pardonner ses faux pas, songea-t-elle. Et pourtant il ne fallait pas qu'elle succombe à son charme !

Misty s'étira longuement, réveillée par la lumière qui filtrait à travers les vastes fenêtres de la chambre, puis poussa un profond soupir de satisfaction. Son corps conservait encore un vif souvenir de la nuit précédente, ainsi que des sensations nouvelles découvertes dans les bras de Leone. Ouvrant les yeux, elle aperçut son amant debout face à l'une des fenêtres, en train de contempler le lac en contrebas.

Cependant, avant même qu'elle puisse se manifester, le portable de Leone sonna ; il décrocha. Tout en parlant en italien à son correspondant, il se retourna vers le lit, et Misty sentit alors son cœur s'arrêter : le visage de Leone était fermé, inexpressif — exactement comme lors de leur entrevue dans son bureau deux semaines auparavant. Lui qui s'était montré si attentionné, si chaleureux il y avait quelques heures à peine, donnait maintenant l'impression qu'elle lui était parfaitement indifférente...

Ses pires craintes se révélaient donc fondées, songea Misty avec une grimace. Comment avait-elle pu oublier que Leone n'était qu'un play-boy sans scrupule, que seul le sexe intéressait ? Il avait sorti le grand jeu pour la

85

séduire, et maintenant que c'était chose faite, il jugeait inutile de continuer son numéro de charme. Quelle idiote elle faisait !

Humiliée, elle sortit lentement du lit, déterminée à ne rien laisser paraître de sa déception : ce serait flatter l'ego démesuré de Leone que de lui signifier à quel point elle était blessée par son attitude. Après tout, se dit-elle, elle aussi avait couché avec lui simplement pour le plaisir... alors pourquoi se soucier de ce qu'il pouvait ressentir ? Il n'en valait pas la peine.

— Quelle heure est-il ? s'enquit-elle sèchement lorsqu'il eut raccroché.

— 1 heure de l'après-midi passée, répondit Leone d'un ton neutre.

— Comment ? Mais pourquoi ne m'as-tu pas réveillée avant ? Nos hôtes doivent certainement se demander ce que nous faisons !

— Ils sont partis pêcher sous la pluie avec le reste des invités. Ça te tente ? Moi pas, en tous cas.

— Il n'empêche que nous ne devons pas rester enfermés de cette façon. Nous sommes venus leur rendre visite, non ?

A ces mots, Leone lui jeta un des regards condescendants dont il avait le secret.

— M. Garrison s'occupe de lobbying politique, dit-il posément. Tout ce qui l'intéresse, c'est la somme d'argent que je peux lui offrir pour soutenir la cause qu'il défend en ce moment. Il se soucie comme d'une guigne de ce que nous pouvons bien faire de nos journées — je ne suis même pas sûr que, si nous restions au lit tout le week-end, il s'en apercevrait !

Misty esquissa un sourire forcé.

— Vraiment ? lança-t-elle d'un ton faussement enjoué. Cela dit, sans vouloir de vexer, Leone, même si je reconnais que coucher ensemble hier soir a été très divertissant, je ne crois pas que je pourrais faire ça avec toi pendant tout un week-end... Lorsqu'il n'y a rien d'autre entre deux personnes que le plaisir physique, faire l'amour devient rapidement très ennuyeux, tu ne trouves pas ?

Elle baissa le regard, gênée de se montrer si agressive, mais consciente que l'attaque était la seule défense qui lui restait. Un moment de faiblesse avec un homme comme Leone ne pardonnait pas ! Elle venait d'en faire la triste expérience...

Le visage de Leone se crispa imperceptiblement, mais il ne répondit pas.

Se réfugiant une nouvelle fois dans la salle de bains, Misty laissa la douche noyer ses larmes de frustration et de rage. La vie ne lui accorderait-elle donc aucun répit ? Fallait-il que le bonheur lui échappe sans cesse ?

Lorsqu'elle ressortit, Leone ne se trouvait plus dans la chambre. Choisissant ses habits avec soin, elle se maquilla minutieusement : puisqu'il s'agissait de feindre d'être la maîtresse de cet homme, elle allait s'employer à jouer son rôle à la perfection... du moins en public. Ainsi, Leone ne pourrait lui reprocher de se montrer distante en privé : elle se contenterait de respecter leur contrat à la lettre, ce qu'elle n'aurait d'ailleurs jamais dû cesser de faire.

Quittant la chambre, elle gagna le hall d'entrée, où elle aperçut une dame plutôt mûre offrir une serviette à un homme manifestement trempé jusqu'aux os. Malgré une prestance naturelle indéniable, l'homme lui fut immédiatement antipathique, sans que Misty puisse s'expliquer pourquoi.

— Bonjour, hasarda-t-elle en faisant quelques pas dans leur direction, je m'appelle Misty. J'espère que je ne suis pas en retard pour le déjeuner ?

— Misty, comment allez-vous ? répliqua la dame. Nous allions justement passer à table. Oh, mais permettez-moi de me présenter : je suis Peg Garrison, et vous me voyez ravie de vous accueillir au château d'Eyrie, ma chère. On ne voit plus beaucoup de jeunes gens, chez nous, par les temps qui courent !

— Et moi je m'appelle Sargent, coupa l'homme en lui tendant la main, Oliver Sargent. Vous êtes magnifique, mademoiselle... mademoiselle comment ?

— Carlton, répondit-t-elle, en retirant le plus vite possible sa main de celle du déplaisant bellâtre.

A la mention du nom de famille de Misty, Sargent prit soudain un air grave puis la dévisagea lentement. Misty se souvint avoir déjà aperçu des photos du politicien chez Birdie car celle-ci l'adorait. Ses airs de charmeur impénitent contrastaient singulièrement avec sa réputation de père de famille irréprochable, songea-t-elle...

— Bien, maintenant que les présentations sont faites, je pense que nous devrions passer dans la salle à manger, lança Peg d'un ton enjoué. Venez, Misty, laissons Oliver aller se changer à son aise dans sa chambre, et rejoignons les autres.

Sur ces mots, elle prit la jeune femme par le bras et l'entraîna vers la pièce adjacente, où étaient attablées

88

une dizaine de personnes, toutes de la génération de Peg et d'Oliver.

Reconnaissante envers son hôte de lui avoir permis d'échapper à Sargent, Misty s'étonna néanmoins de ne voir Leone nulle part dans la pièce, et en fit part à Peg.

— Mais Leone est parti pêcher tout l'après-midi avec Ted, répondit son hôtesse, affectant une mine surprise. Je pensais qu'il vous l'aurait dit. Ah, les hommes ! Ils nous abandonnent toujours, n'est-ce pas ?

Ne sachant comment interpréter cette remarque, Misty s'efforça de sourire poliment. Le départ précipité de Leone la déconcertait : n'avait-il pas affirmé qu'il n'irait pêcher pour rien au monde ? Peut-être que sa présence lui était devenue si désagréable qu'il était prêt à tout pour s'éloigner d'elle, songea-t-elle avec amertume.

Elle s'assit à la place que lui indiqua Peg, et fit connaissance avec sa voisine de table, qui n'était autre que Jenny Sargent, la femme d'Oliver. Malgré une tristesse indéfinissable dans son regard, elle se montrait une compagne bien plus sympathique que son mari.

— Vous êtes la nouvelle amie de Leone Andracchi, n'est-ce pas ? demanda celle-ci sur le ton de la conversation. C'est un diable d'homme, mais il faut reconnaître qu'il a du goût : vous êtes très belle, mademoiselle.

Misty rougit légèrement, flattée par ce compliment inattendu de la part d'une inconnue.

— Mon mari et moi avons rencontré Leone par l'intermédiaire de sa jeune sœur, Battista, qui est décédée, comme vous devez le savoir, poursuivit son interlocutrice. Quelle affaire tragique ! Les voitures peuvent être si dangereuses… Depuis cet événement, malheureusement, Leone nous évite, et je le comprends : la vue de mon mari doit certainement lui rappeler le terrible accident qui nous a tous bouleversés.

Misty acquiesça en silence, se souvenant du matin où Leone lui avait parlé de la disparition de Battista. La douleur qu'elle avait lu sur les traits crispés de son visage était encore si vive ! Elle se hâta de lancer la discussion sur un sujet plus léger, et la suite du repas se déroula dans une ambiance détendue, malgré les regards insistants que lui adressait Oliver Sargent, qui n'avait pas tardé à rejoindre la tablée.

Après le déjeuner — aussi frugal que l'hébergement avait été sommaire — Peg Garrison fit longuement visiter le château à ses invités. Ceci certainement dans l'espoir que l'un d'eux se porterait acquéreur, songea Misty. Malgré l'intérêt historique indéniable des commentaires de leur hôtesse, ce fut un soulagement pour tous les membres de l'auditoire lorsqu'elle les invita à regagner leur chambre. Ils se retrouveraient le soir même pour assister au bal qui se déroulerait dans la salle d'apparat.

Une douce chaleur accueillit Misty lorsqu'elle ouvrit la porte de la chambre qu'elle partageait avec Leone. Debout en caleçon noir face à la cheminée crépitante, il tentait tant bien que mal de se sécher et de se réchauffer. Son après-midi sur le lac n'avait manifestement pas été des plus agréables ! Misty s'arrêta un instant, saisie par la beauté ténébreuse de l'homme presque nu qui se tenait devant elle. Elle résista à l'envie de se jeter dans ses bras pour reprendre leurs ébats de la veille...

Brusquement, il se retourna vers elle pour la fixer du regard. Ses épais sourcils étaient froncés, sa lourde mâchoire crispée à l'extrême ; des reflets dorés virevoltaient dans ses yeux de jais. Misty sentit son cœur battre plus fort : elle n'avait encore jamais vu son compagnon si furieux.

— J'exige de savoir si tu étais sincère, ce matin, lorsque tu as affirmé que notre relation était purement physique, murmura-t-il d'un ton dangereusement posé.

Désemparée par cette question directe, Misty fut incapable de prononcer un seul mot. Elle jeta un regard incandescent à Leone. A quoi voulait-il en venir ? Cela l'amusait-il tellement de jouer avec ses sentiments ? Elle se prit à trembler, et dut s'asseoir sur le lit, luttant de toutes ses forces pour retenir ses larmes.

— *Dio mio* ! s'exclama Leone, levant les yeux au ciel. Tu dissimulais donc bien tes sentiments réels ! Mais pourquoi ? Qu'est-ce qui t'a pris de dire une chose pareille ?

Poussant un profond soupir, Misty trouva enfin la force de répondre.

— Je croyais que tu ne ressentais rien pour moi..., balbutia-t-elle, et je n'aurais pas pu supporter que tu exprimes ton indifférence à haute voix... alors j'ai préféré te devancer.

— Je me demande comment tu as pu avoir une idée aussi ridicule, maugréa-t-il. As-tu seulement songé combien tes paroles pouvaient me blesser ?

Abasourdie par cet aveu soudain, Misty contempla Leone bouche bée, tandis que ses mots résonnaient lentement dans sa tête. Ainsi, elle comptait pour lui ! Elle arrivait à peine à le croire...

— Pardonne-moi, parvint-elle finalement à articuler.

Leone s'approcha d'elle, un curieux sourire aux lèvres.

— Ce n'est rien, *amore,* susurra-t-il. Je comprends que ce qui s'est passé la nuit dernière t'ait troublée... C'était la première fois, pour toi, n'est-ce pas ?

Misty se sentit rougir jusqu'aux oreilles, et se maudit intérieurement. Pourquoi fallait-il toujours qu'elle réagisse comme une gamine en sa compagnie ?

— Je n'en ai pas évoqué le sujet hier, car tu semblais gênée à l'idée d'en parler, enchaîna Leone d'une voix douce.

Ecartant une boucle rousse de son front, il caressa lentement sa tempe, et elle sentit un léger frisson lui parcourir le corps.

— J'avais honte, murmura-t-elle simplement.

Leone sourit, et approcha son visage du sien. Respirant le parfum si caractéristique de son amant, elle sentit une chaleur familière monter en elle depuis la partie la plus intime de son anatomie.

— Au contraire, *amore*, je suis très flatté que tu m'aies choisi... Cependant, il est vrai que je suis un peu étonné d'être ton premier amant. N'avais-tu pas eu d'autres histoires avant moi ?

— Flash et moi avions plutôt des relations de frère et sœur, expliqua Misty. Quant à Philip... nous n'avons pas été fiancés très longtemps, et nous étions très jeunes.

Leone posa une main sur sa taille ; elle leva alors le visage vers lui, ses grands yeux émeraude ne dissimulant plus rien de son désir.

— Je voulais te remercier pour hier soir, dit-elle dans un souffle, avant que Leone ne l'embrasse fougueusement, et ne lui démontre ensuite de la façon la plus sensuelle toute l'intensité de ses sentiments pour elle.

— Qu'as-tu donc fait, cet après-midi, pendant que je me gelais sous une pluie battante ? s'enquit Leone, tandis qu'ils se rendaient au bal avec une bonne heure de retard.

— Voyons…, commença Misty avec un air espiègle, j'ai déjeuné avec les autres invités, subi une interminable visite guidée du château… Ah ! Et tu ne devineras jamais : j'ai rencontré Oliver Sargent, le célèbre homme politique !

A ces mots, le visage de Leone s'assombrit brutalement. Il dévisagea Misty d'un air grave, une lueur inquiétante dans les yeux.

— Tu peux répéter ? demanda-t-il d'un ton dur.

Misty eut un mouvement de recul, effrayée par le changement d'humeur de son amant. La douleur liée à la perte de sa sœur devait en effet être encore vive, pour qu'il réagisse ainsi à la simple mention du nom de l'ancien mentor de Battista.

— Oliver Sargent, murmura-t-elle. Mais je lui ai à peine adressé la parole, Leone, et il m'a immédiatement déplu.

— Bon sang ! Ted Garrison m'avait pourtant assuré que ce damné politicien passerait l'après-midi sur un bateau de pêche comme moi… il a dû rentrer plus tôt que prévu.

Leone marmonna quelques jurons en italien, puis sembla recouvrer son sang-froid.

— Bien, excuse-moi, ce n'est rien, dit-il d'un ton plus léger. Allons rejoindre les autres... j'espère que tu sais danser la valse !

Prenant Misty par la main, il la mena jusqu'au vaste hall où se déroulait la réception. Intimidée tout d'abord par un tel rassemblement de personnes de la haute société, revêtus qui plus est de leurs habits de gala, Misty se sentit nettement plus détendue après deux coupes de champagne. Leone dansait merveilleusement bien, aussi posa-t-elle la tête sur son épaule, se laissant doucement guider par lui... Il y a longtemps qu'elle n'avait pas passé une soirée si enchanteresse ! Mais pouvait-elle vraiment se permettre de tomber amoureuse de cet homme ?

Une heure plus tard, profitant d'un intermède entre deux morceaux, elle s'éclipsa pour se remaquiller. A peine fut-elle sortie de la salle d'eau, cependant, qu'elle sentit une main se poser sur son épaule. Ne sachant que penser, elle se retourna lentement, et fut surprise de se retrouver face à face avec Oliver Sargent.

— J'aimerais vous donner un conseil d'ami, marmonna celui-ci.

Sa voix traînante trahissait une légère ébriété.

— A quel propos ? répondit Misty, méfiante.

— Eloignez-vous de Leone Andracchi, reprit Sargent d'un ton grave. Vous ne devez pas lui faire confiance. Il ne cherche qu'à se servir de vous !

Interloquée par cette sinistre mise en garde, d'autant plus étrange que Sargent et elle se connaissaient à peine, Misty contempla un instant le politicien. Cependant, avant qu'elle ne puisse l'interroger sur la signification exacte de ses paroles, celui-ci avait rejoint les autres convives et s'était fondu dans la foule. Que fallait-il penser de cette entrevue ? se demanda-t-elle avec anxiété. Manifestement, l'inimitié que Leone vouait à Sargent était réciproque. Mais en quoi leur querelle la concernait-elle ?

7.

Encore bercée par la douce euphorie de leur nuit d'amour, Misty contemplait le visage de Leone illuminé par les premiers rayons du soleil. Le clair-obscur du petit matin ajoutait à la beauté mystérieuse de son amant, soulignant le tracé de ses pommettes, la parfaite régularité de son nez, la sensualité de ses lèvres...

Comment cet homme avait-il réussi à prendre tant d'importance dans sa vie en si peu de temps ? se demanda-t-elle en se penchant pour déposer un baiser sur sa tempe.

Même s'il comptait énormément à ses yeux, elle n'avait pas eu le courage de lui faire part de sa rencontre avec Sargent... d'ailleurs, pourquoi aurait-elle agi ainsi ? Après tout, le député était soûl, et il en voulait à Leone, quoi qu'elle ne sût pas précisément pourquoi. Sans doute avait-il tenté de l'intimider pour nuire à Leone de façon indirecte, rien de plus. Mais elle n'avait pu s'empêcher de remarquer l'étrange sincérité avec laquelle Oliver Sargent s'était adressé à elle, sincérité qui donnait à son avertissement un tour autrement plus inquiétant — à moins qu'elle n'ait été abusée par l'habileté du politicien professionnel à feindre des sentiments authentiques.

— J'ai besoin de savoir où va notre relation, déclarat-elle finalement à Leone dans la limousine qui les ramenait à l'appartement londonien.

Un silence s'installa entre eux pendant quelques instants.

Ses traits parfaitement composés ne laissant transparaître aucune émotion, Leone lui répondit enfin :

— Je ne peux pas encore répondre à cette question.

Misty inspira profondément. Elle s'était promis d'être ferme.

— Dans ce cas, j'exige que nos relations redeviennent purement professionnelles.

Leone lui jeta alors un regard incandescent, des reflets dorés virevoltant au fond de ses yeux noirs.

— *Porca miseria* ! Mais ce serait ridicule ! s'exclamat-il, sans rien cacher de son incrédulité ni de son irritation.

— Je refuse qu'il en soit autrement. Tu ne peux pas toujours avoir toutes les cartes en main...

— Le chantage ne marche pas avec moi, *amore*.

— Je ne te fais pas de chantage !

— Ecoute, je serai à New York la semaine prochaine. Tu auras le temps de réfléchir à la situation pendant mon absence.

Sentant son ventre se nouer, Misty se rappela qu'elle avait affaire à un as de la négociation... Un frisson d'anxiété lui parcourut la nuque à la perspective de passer une semaine sans Leone — surtout sans avoir obtenu de réponse quant à l'avenir de leur relation.

Ses yeux émeraude brillèrent d'une lueur d'inquiétude. Comment avait-il réussi à la rendre si dépendante de lui ?

— Tu ne me manqueras pas, lâcha-t-elle d'un air de défi.

— Allons, ma chérie, ne fais pas l'enfant, dit-il en lui prenant doucement la main. Pourquoi tiens-tu tellement à faire échouer une histoire qui marche si bien ?

— Et si elle ne me convient pas, à moi ? marmonna Misty, sans pour autant retirer sa main.

Elle passa la première moitié de la semaine à Fossets, où Leone l'appela deux fois. De retour à Londres, les journées s'écoulèrent avec une lenteur désespérante. Aussi, lorsqu'elle s'endormit le dernier soir, toutes ses pensées étaient-elles tournées vers la venue prochaine de Leone. Ses règles étaient en retard de plusieurs jours, mais elle mit cela sur le compte du stress qu'elle éprouvait depuis le départ de son amant, et n'y pensa plus.

Leone appela à 2 heures du matin ; elle décrocha aussitôt, ravie mais l'esprit encore embrumé par le sommeil.

— J'arrive tout à l'heure, à 7 heures du matin, annonça-t-il simplement. Rendors-toi : à ton réveil, je serai là.

Ce programme convenait tout à fait à Misty, mais elle se sentait à présent si excitée qu'elle ne put se rendormir. Vers 5 heures, incapable de trouver le sommeil, elle décida d'aller accueillir son amant à l'aéroport : la surprise lui ferait certainement plaisir... et de toute façon, elle ne pouvait plus attendre.

Traversant l'aéroport à la hâte, elle aperçut soudain Leone déboucher dans le hall des arrivées. Il avait un air soucieux, mais son charme opérait toujours sur elle. Un frisson d'expectative la parcourut. Affichant son sourire le plus éclatant, elle attendit qu'il la vît à son tour... mais lorsque Leone posa les yeux sur elle, son visage se décomposa et une lueur de panique passa dans son regard.

Anéantie par la réaction de l'homme qu'elle était venue attendre, Misty fit demi-tour et s'élança dans la direction opposée, retenant ses larmes à grand-peine. Pourquoi Leone avait-il arboré cette expression horrifiée? Ne lui avait-elle pas manqué pendant son voyage ?

Soudain, le monde sembla se déchaîner autour d'elle. Des éclats de flashes l'éblouirent, et une multitude de journalistes se pressa à sa rencontre, des micros tendus dans sa direction.

— Saviez-vous qu'Oliver Sargent était... ?

— Comment réagissez-vous à ce que vous venez d'apprendre ? Etes-vous amère, ou en colère ?

Les questions fusaient de toutes parts, sans que Misty parvienne à en démêler le sens. Bousculée, fragilisée par son manque de sommeil et par le choc affectif qu'elle venait de subir, elle faillit fondre en larmes. Heureusement, Leone jaillit tout à coup à ses côtés, repoussant les journalistes pour lui prendre la taille d'une main rassurante.

— Ecartez-vous ! Laissez-la tranquille ! s'écria-t-il d'un ton impérieux.

Deux armoires à glace, sans doute les gardes du corps de Leone, surgirent pour les aider à se frayer un passage à travers la cohue.

— Que se passe-t-il, Leone ? s'enquit nerveusement Misty tandis que celui-ci l'entraînait en toute hâte vers la limousine qui les attendait. Un des journalistes a mentionné le nom d'Oliver Sargent !

S'engouffrant après elle dans la luxueuse berline aux vitres teintées, Leone la contempla d'un air attristé.

— Je n'avais pas imaginé que tu viendrais m'accueillir à une heure si matinale, avoua-t-il, la voix chargée de remords. Ces satanés journalistes espéraient certainement m'interviewer, moi. Mais lorsqu'ils t'ont aperçue, ils ont changé d'avis... et j'ai tout de suite compris que la situation allait dégénérer.

— Je t'en prie, Leone, dis-moi simplement de quoi il s'agit.

Elle sentait une migraine commencer à poindre, mais était soulagée d'apprendre que la mine déconfite que Leone avait affichée lorsqu'il l'avait vue ne signifiait pas, comme elle l'avait d'abord craint, que les choses avaient changé entre eux.

— Un journal à scandale fait sa une aujourd'hui sur une histoire qui te concerne, lâcha Leone.

— Tu veux dire par là que ce journal parle de *toi*, et que mon nom est mentionné parce que je suis ta maîtresse, c'est ça ?

Le visage de Leone se crispa, sa peau hâlée tendue sur les contours saillants de sa mâchoire.

— Non, ce n'est pas ça, articula-t-il. C'est un ami qui m'en a informé pendant que j'étais à New York... Ecoute, sache avant tout que je suis profondément désolé pour ce qui se passe, plus désolé que je ne l'ai jamais été.

Il lui tendit une manchette de journal.

Misty crut un instant être victime d'une mauvaise plaisanterie. Sous une photo d'elle prise durant la première du film à laquelle elle avait assisté avec Leone, une légende en caractères gras annonçait : « Cette jeune femme est-elle la fille cachée d'Oliver Sargent ? »

— Que signifient ces bêtises ? demanda-t-elle avec une fébrilité certaine.

— Sans test ADN, rien ne peut être prouvé avec certitude. Mais au vu des faits que j'ai déjà rassemblés, il semble en effet que tu sois bien la fille d'Oliver Sargent, répliqua Leone d'un air grave.

Misty inspira lentement pour tenter de reprendre ses esprits, se rappelant l'impression désagréable qu'elle avait eue lors de sa première rencontre avec le politicien.

— Ainsi, murmura-t-elle enfin, tu penses sincèrement que cette histoire incroyable est vraie...

— Oui, je le crois.

Misty pâlit, accusant le choc. Elle s'était résignée à ignorer le nom de son père sa vie durant, sa mère ayant toujours refusé de le révéler, même aux services d'adoption.

Bon sang, que lui arrivait-il ? Découvrir enfin l'identité de son géniteur aurait dû la réjouir, enfin ! Mais apprendre par la presse à scandale que son père était ce bellâtre déplaisant, cela constituait, étrangement, une grosse déception. Misty ne s'était jamais sentie si vulnérable, si humiliée... Ce père qui, malgré toute l'affection de Robin et de Birdie, lui avait toujours manqué, ce père dont elle avait tant rêvé, qu'elle avait si souvent idéalisé, n'était autre que l'horrible Sargent !

Elle ouvrit le journal d'une main tremblante, mais Leone l'arrêta.

— Attends que l'on soit revenu à la maison avant de lire l'article, conseilla-t-il d'une voix douce.

— A la maison ?

— Oui, ton appartement doit être assailli par les paparazzi à l'heure qu'il est. Nous serons plus tranquilles chez moi.

Misty contempla Leone avec gratitude. Sa gentillesse était exemplaire. Comment avait-elle pu croire qu'elle ne comptait plus pour lui ?

— Tu es revenu plus tôt de New York pour moi, dit-elle en souriant. Je suis désolée que tu aies dû écourter ton séjour.

— Tu n'as pas à être désolée, je t'assure, répondit celui-ci. Ce qui est arrivé est entièrement ma faute.

Que voulait-il dire ? Certes, c'était depuis leur « liaison » que les journaux s'intéressaient à elle, mais si elle avait accepté de rencontrer les paparazzi qui l'avaient contactée, au lieu de les fuir systématiquement, ceux-ci ne n'auraient peut-être pas jugé utile de fouiller dans son passé pour trouver des informations à se mettre sous la dent.

En tout cas, elle ne digérait toujours pas cette nouvelle invraisemblable. Oliver Sargent pouvait-il sérieusement être son père disparu ? Et comment les journalistes avaient-ils réussi à retrouver sa trace en quelques semaines, alors qu'elle-même avait fini par abandonner ses recherches, faute de résultat ?

Leone habitait une imposante bâtisse un peu à l'écart du centre-ville, mais Misty n'avait pas la tête à admirer ce joyau de l'architecture géorgienne. Le journal à la main, elle pénétra dans la maison, et s'installa sur un des vastes canapés en cuir dans la pièce qui devait servir de salon. Leone la rejoignit après avoir donné quelques instructions en italien au domestique qui leur avait ouvert la porte.

— Ecoute, dis-toi bien qu'Oliver Sargent s'est fait de nombreux ennemis dans la presse : ceux-ci seront ravis de pouvoir s'attaquer à lui sans ménagement, déclara-t-il. C'est à lui qu'ils en veulent, pas à toi… Alors ne prends pas les écrits de ce torchon trop à cœur, d'accord ?

Et comment ne pas prendre « trop à cœur » des révélations concernant un père qu'elle avait attendu toute sa vie ? Il fallait reconnaître cependant que Sargent était un personnage pour le moins controversé. Elle se rappela avoir lu il y avait quelques années une tribune du député dénonçant le nombre croissant de naissances hors mariage, qu'il qualifiait de fléau pour la société comme pour les enfants qui en étaient les victimes. Si elle était véritablement sa fille, la crédibilité de Sargent en souffrirait grandement… peut-être même serait-il forcé de se retirer du monde politique.

Misty adressa un sourire crispé à Leone, puis se plongea résolument dans la lecture de l'article.

Elle comprit rapidement que, dans la version de sa vie passée présentée par le journaliste, elle tenait le rôle de la pauvre enfant destinée à faire pitié au lecteur. Une photo de l'institution où elle avait vécu jouxtait celle de l'opulente demeure où résidait Sargent.

— L'époux de ta mère avait vingt ans de plus qu'elle, déclara Leone. Il était professeur à l'université, et il encouragea sa femme à s'inscrire à des cours de droit. C'est là qu'elle fit la rencontre de Sargent.

— Je n'imagine pas ma mère en train de faire des études, répondit pensivement Misty.

L'article continuait sur une description sans fard de la petite fille qu'elle avait été : renfermée, faisant régulièrement l'école buissonnière, recourant facilement au mensonge... Tout cela était exact, mais partiel. Sa personnalité avait été transformée lorsqu'elle avait été recueillie à Fossets, à l'âge de douze ans.

— Un test sanguin révéla que l'époux de ta mère ne pouvait être votre père, à toi et à ta sœur jumelle, poursuivit Leone. C'est ainsi que la liaison de ta mère avec Sargent fut découverte. Son mari quitta ta mère, qui se tourna vers Sargent, mais celui-ci la rejeta à son tour. En effet, Oliver Sargent était fiancé avec Jenny — avec qui il est encore marié—, depuis le début.

Misty songea à la femme amène qu'elle avait rencontré au château d'Eyrie, une semaine auparavant, et fit la grimace. Jenny Sargent allait bientôt apprendre que son époux lui avait été infidèle pendant leurs fiançailles, et qu'il avait eu des enfants avec une autre femme. Elle poussa un soupir compatissant. Nul doute que Jenny se sentirait, comme elle, trahie et terriblement blessée.

Un paragraphe retint soudain son attention, et elle se sentit perdre toute contenance. Il s'agissait de sa rupture avec Philip : « Philip Redding décida de dire adieu à

Misty lorsqu'il s'avéra qu'elle ne pourrait plus jamais avoir d'enfant, nous a confirmé une source anonyme. »

— Mon Dieu, non..., gémit-elle, incapable d'en dire plus.

Son univers tout entier semblait s'écrouler. Apprendre par voie de presse que Sargent était son père se révélait déjà difficile, mais ça... Elle fut saisie par une horrible sensation de vertige, et agrippa un bras du canapé. Un journal à grand tirage venait de rendre public le plus grand secret de sa vie. Son infertilité était étalée aux yeux de tous... Quelle honte ! Plus jamais elle ne pourrait regarder un homme en face.

Leone lui arracha le quotidien des mains, et l'attira vers lui.

— Je suis désolé, ma chérie, je ne voulais pas que tu lises ça... mais il était trop tard, je n'ai rien pu faire. Pardonne-moi.

Contenant ses sanglots tant bien que mal, Misty le repoussa, et détourna son visage.

— Laisse-moi, dit-elle à mi-voix. Je veux faire face à cette épreuve seule. Ce n'est pas quelque chose que tu peux comprendre.

Marmonnant une protestation en italien, Leone la retint pourtant contre lui. A bout de nerfs, elle éclata en sanglots sur l'épaule réconfortante de son amant. Toute la tension qui s'était accumulée pendant la matinée s'évacuait enfin, et elle laissa couler ses larmes sans retenue.

Lorsque ses sanglots se furent calmés, Leone passa une main consolatrice dans ses longs cheveux, puis lui adressa un des sourires désarmants dont il avait le secret.

— Ça m'est égal que tu ne puisses pas avoir d'enfants, susurra-t-il d'une voix grave. En fait, je voulais te demander si... si tu accepterais de venir vivre ici, avec moi, pour le restant de tes jours.

Misty contempla un instant l'homme qui la tenait dans ses bras, abasourdie par ce qu'elle venait d'entendre.

— Tu es la première femme à qui je propose une chose pareille, poursuivit-il, des éclairs dorés au fond des yeux.

Misty sourit timidement, et chassa ses dernières larmes d'un battement de cils. Des émotions contradictoires tournoyaient follement en elle. Elle ne savait plus s'il lui fallait rire ou pleurer... mais la joie, fort heureusement, finit par l'emporter dans son cœur. Elle avait vécu toute sa vie sans père, que lui importait qu'Oliver Sargent ne veuille sûrement jamais la revoir ? A présent, elle aimait Leone. Il l'acceptait telle qu'elle était, et elle ne demandait rien de plus.

— Fais-moi l'amour, murmura-t-elle finalement à l'oreille de son amant. J'ai envie de toi.

Leone eut l'air surpris par sa réaction.

— Ecoute, *bella mia*, j'ai encore des choses à te dire, et...

— Tu as donc cessé de me désirer ? répliqua Misty avec un air espiègle.

Pour seule réponse, Leone la pressa contre lui et l'embrassa avec fougue. Elle sentit alors sa virilité pleinement éveillée contre son propre corps, témoignant de la vivacité du désir de son compagnon.

— J'espère que je suis clair sur ce point, *amore*, dit-il en desserrant son étreinte. Mais toi, n'as-tu pas besoin de plus de temps pour te remettre des événements de la matinée ?

— Je n'ai jamais voulu laisser mon passé gouverner ma vie, répliqua-t-elle en fixant son amant dans les yeux. Il n'y a que le présent et l'avenir qui m'intéressent... et dans les deux cas, je n'aperçois que toi à l'horizon.

Ils s'embrassèrent de nouveau, et Misty sut qu'elle pourrait compter sur Leone pour surmonter les épreuves qui l'attendaient. Pour la première fois de sa vie, elle pouvait enfin faire une entière confiance à un homme...

— Emmène-moi dans la chambre, murmura-t-elle dans un souffle.

Leone s'exécuta, la transportant doucement jusqu'à son lit où il l'enlaça avec une tendresse infinie avant de la mener jusqu'aux cimes du plaisir.

8.

Deux heures plus tard, ils s'apprêtaient à déguster un petit déjeuner copieux dans l'imposante salle à manger, au rez-de-chaussée de la maison. Misty s'amusa à sucrer le café de Leone avec une déférence exagérée.

— Votre café, monsieur Andracchi, dit-elle en le servant avec un sourire malicieux. Est-il sucré à votre convenance ?

— Tu veux bien être sérieuse une minute ? répliqua Leone, charmé néanmoins par la joie de vivre de sa compagne.

Misty ne pouvait faire taire le sentiment de bonheur qui bouillonnait en elle. Alors que son existence avait failli tourner au cauchemar le matin même, elle vivait à présent un rêve merveilleux. Certes, il lui restait des démons intérieurs et extérieurs à affronter, mais elle ne serait plus jamais seule pour le faire...

Le domestique italien apporta une fraîche poêlée de bacon, et Misty respira avec délice l'odeur familière de viande grillée. Soudain, cependant, une sensation de nausée l'envahit. Que se passait-il ? Alarmée par les violents soubresauts de son estomac, elle se leva et courut jusqu'à la salle de bains.

— Tout va bien ? demanda Leone en martelant la porte fermée à clé.

Misty s'agrippa au lavabo et jeta un œil dans le miroir. Elle était livide. Bon sang, qu'avait-elle besoin de faire une crise dans un moment pareil ? Etait-ce donc si difficile de s'habituer au bonheur ?

Lorsqu'elle émergea enfin, Leone la scruta d'un air inquiet.

— Je crois que je n'ai pas faim, dit-elle sans conviction.

— Tu es malade ? s'enquit-il en la prenant par la main.

— Mais non, ce n'est rien.

Heureusement qu'elle avait pu se remaquiller pour cacher son teint blême ! Pour rien au monde elle n'aurait souhaité gâcher ces précieux moments passés avec l'homme qu'elle aimait.

— Tu voulais que je sois plus sérieuse, si je me souviens bien, lâcha-t-elle sur un ton plus léger.

En revenant dans la salle à manger, elle s'aperçut que Leone n'avait pas touché à son repas. Il semblait crispé.

— Il faut que l'on parle, ma chérie, murmura-t-il en la dévisageant d'un regard si intense qu'il la fit frémir.

De quoi souhaitait-il encore discuter ? Certainement de sa proposition de venir habiter avec lui. Il est vrai qu'elle n'avait pas fait de réponse claire à son offre...

— Leone, je serai ravie d'emménager dès que possible avec toi, dit-elle d'une voix douce. Birdie pense d'ailleurs que c'est déjà chose faite !

— Il ne s'agit pas de cela, reprit-il. D'abord, je veux te parler de ma sœur, Battista...

110

Comprenant maintenant pourquoi son amant semblait si tendu, Misty lui prit la main, touchée qu'il se livre à des confidences intimes.

— Battista avait intégré une équipe de recherche travaillant pour Sargent l'été dernier, articula lentement Leone. Elle avait à peine dix-neuf ans, et elle s'est éprise de lui.

— Vraiment ? s'exclama Misty, incrédule.

— Il a couché avec elle.

— Tu en es sûr ?

— Certain. La meilleure amie de Battista m'a tout révélé après l'accident. Sargent mène une vie d'adultère dans la plus grande discrétion. Il possède un cottage à la campagne où il emmène ses maîtresses, et dont elles seules connaissent l'existence.

Misty se sentit profondément choquée par ces révélations. Ainsi, son père n'avait cessé d'avoir un comportement méprisable toutes ces années... qui sait combien d'enfants illégitimes il avait abandonnés comme elle ?

— La nuit où Battista est décédée, elle se rendait à ce cottage en compagnie de Sargent, mais j'ai été incapable de prouver qu'il se trouvait dans la voiture avec elle, poursuivit Leone d'un ton amer. Toujours est-il que leur véhicule a dérapé et s'est écrasé contre un arbre. Sargent a laissé ma sœur mourante et s'est enfui. Il n'y a eu aucun témoin.

Misty le dévisagea, horrifiée.

— C'est plus d'une heure après l'accident que les services d'urgence ont reçu un appel anonyme. Je doute fortement que Sargent ait eu le courage de passer le coup de fil lui-même, et, dans tous les cas, il était déjà trop tard pour Battista. Ma seule consolation est de savoir

111

que, même si elle avait été secourue à temps, elle serait restée dans le coma pour le restant de ses jours.

— Mais comment peux-tu être certain que Sargent se trouvait bel et bien avec ta sœur au moment où la voiture a quitté la route ?

Misty ne voulait pas croire qu'un homme si monstrueux et insensible puisse être son père.

— Je l'ai tout de suite compris quand je l'ai revu à l'enterrement de ma sœur, enchaîna Leone. C'est un manipulateur hors pair, et il a su parfaitement couvrir ses traces, mais il était terrifié à l'idée que je découvre malgré tout son forfait. Il a des amis influents, qui l'ont aidé à dissimuler les faits. L'un d'eux a prétendu que ce soir-là Sargent se trouvait avec lui, dans une maison à Cornwall.

L'accent sicilien de Leone se faisait plus distinct au fur et à mesure de son récit, trahissant tout le mépris que l'homme d'affaires éprouvait pour le politicien corrompu et ses semblables.

— N'as-tu pas essayé de contester son alibi ? s'enquit Misty, compatissante.

— Il aurait pu facilement me faire condamner pour accusation calomnieuse si j'avais tenté une chose pareille, répliqua Leone. Non, pour lui faire payer son crime, j'ai pensé qu'il fallait que je me montre plus rusé que lui. Presque tout le monde a des choses à cacher, des événements de sa vie plus ou moins reluisants... surtout les politiciens professionnels comme Sargent.

A ces mots, les traits de Leone se durcirent soudain, son visage brillant d'un éclat sombre, presque inquiétant.

— J'ai ordonné que des recherches approfondies soient effectuées sur son passé... et c'est comme ça que j'ai appris ton existence.

— *Quoi* ?

Un terrible pressentiment s'insinua dans l'esprit de Misty. Se pouvait-il que... que Leone l'ait utilisée pour accomplir sa vengeance ? Que l'homme qu'elle aimait ne soit qu'un calculateur froid et cruel, comme son père ? Elle sentit son cœur se serrer, et prit une grande inspiration.

— Oliver Sargent mène une double vie, poursuivit implacablement Leone. C'est un hypocrite de la pire espèce, un homme lâche et nuisible ; je voulais révéler sa corruption et ses mensonges au grand public, mais pas avant de l'avoir fait souffrir.

Il se tut un instant, la mâchoire crispée, les yeux plus noirs que jamais.

— C'est toi que j'ai choisi comme arme pour l'abattre, lâcha-t-il enfin, sans cesser de la fixer.

Misty sentit qu'elle pâlissait dangereusement.

— Dis-moi que ce n'est pas vrai..., murmura-t-elle tandis qu'un désagréable sentiment de vertige l'envahissait de nouveau.

— Je ne te voyais pas comme une personne à part entière, expliqua Leone, mais plutôt comme une extension de l'homme que je haïssais de toutes mes forces. Je me suis satisfait d'une enquête sommaire sur toi, et j'ai cru trop facilement les rumeurs te présentant comme une femme ambitieuse et sans scrupules... Tout ce qui comptait pour moi à l'époque était que ton existence constituait une menace pour Sargent et pour sa réputation d'homme à la vertu irréprochable. Pardonne-moi, *amore*...

— Comment *oses*-tu m'appeler encore comme ça ? s'écria Misty, en se levant brutalement. Tu crois que je vais te pardonner pour ce que tu as fait ? Tu es un monstre !

Elle voulait s'enfuir loin de ce cauchemar, mais une espèce de fascination morbide la poussait à rester, et à boire le vin jusqu'à la lie.

— Je t'en prie, poursuivit Leone, écoute au moins ma confession jusqu'au bout avant de me juger. Je... j'avoue que je voulais que tu rencontres Sargent au château d'Eyrie ; c'est pour ça que je t'y ai emmenée. Lorsque j'ai voulu revenir sur ma décision, comprenant tout le mal que mes machinations risquaient de te faire, il était déjà trop tard.

— Trop tard... ?

Misty ne savait plus comment exprimer la colère et la déception qui tourbillonnaient sauvagement en elle. Elle avait tellement cru à la sincérité de Leone... et voilà qu'il se révélait bien pire que tous les autres hommes qu'elle avait aimés !

— J'ai essayé d'empêcher que tu ne croises Sargent, enchaîna Leone, parce que je savais qu'à la minute où il te verrait, il comprendrait qui tu étais, et devinerait ma manœuvre. Je suis allé à la pêche pour garder un œil sur lui, mais il est monté sur un autre bateau que le mien et je l'ai perdu de vue. Le même matin, avant que tu ne te réveilles, j'avais appelé pour ordonner que les preuves de ta filiation, que j'avais soigneusement laissées à la portée des curieux, soient enfouies de nouveau — mais là aussi il était trop tard. J'avais imprudemment ouvert la boîte de Pandore, et j'étais impuissant à la refermer.

Misty sentit ses forces lui faire défaut, et elle se laissa brutalement tomber dans un fauteuil. Il fallait qu'elle digère le récit de Leone. Ainsi, voilà pourquoi il tenait tant à ce qu'elle soit sa « maîtresse », elle et aucune autre — à cause « d'affaires Siciliennes », avait-il prétendu ! En réalité, il s'agissait d'une basse vengeance, plutôt digne des petits malfrats de Palerme, une stupide *vendetta* ! De surcroît, il n'était revenu sur ses plans initiaux qu'*après* avoir couché avec elle... et même à ce moment-là, il n'avait pas jugé nécessaire de l'informer du cataclysme qui allait inévitablement survenir dans sa vie.

— Croyais-tu vraiment qu'une somme d'argent, aussi faramineuse soit-elle, puisse compenser le mal que tu allais me faire ? demanda-t-elle finalement, foudroyant Leone du regard.

Celui-ci poussa un profond soupir, et baissa les yeux.

— Oui, j'avoue que oui, admit-il.

— Et l'idée de te servir de Carlton Traiteur pour me mettre en difficulté financière faisait aussi partie de ton plan, j'imagine, répliqua-t-elle en serrant les dents. Dis-moi, es-tu allé jusqu'à payer des voyous pour qu'ils vandalisent mes locaux ?

— Quoi ? Mais jamais de la vie ! Je n'étais même pas au courant de cet événement...

Au moins ces protestations semblaient-elles sincères, songea Misty — mais comment faire confiance à un homme qui l'avait trahie avec une froideur aussi implacable ?

— Et si je n'avais pas fait faillite ? demanda-t-elle.

Elle tenait maintenant à connaître toute l'histoire, détails compris. Elle aurait bien le temps d'y réfléchir plus tard.

— Je comptais t'offrir une forte somme d'argent, et acheter ta participation à mes projets, confessa Leone. N'oublie pas qu'à ce moment-là, je te croyais vénale et prête à tout pour satisfaire tes ambitions.

— Cela ne t'excuse en rien. Tu me dégoûtes..., lâcha-t-elle d'une voix lourde de dépit.

— Misty...

— Ecoute, puisque nous en sommes aux révélations, à mon tour de t'en faire une. Pendant le bal, au château d'Eyrie, Sargent s'est approché de moi pour me mettre en garde contre toi. Il m'a dit que tu ne cherchais qu'à m'utiliser, et qu'il fallait que je m'éloigne au plus vite de toi.

— Comment ? Mais pourquoi ne m'as-tu rien raconté de cet épisode ?

Misty eut un petit rire étouffé.

— Je pensais qu'il était soûl, et qu'il voulait te faire du mal, c'est tout, répondit-elle. Mais à présent, je me demande si une forme de tendresse paternelle ne se cachait pas derrière son avertissement... Certes, il voulait que je disparaisse de la scène publique pour préserver sa carrière politique, cependant ce qu'il m'a dit sur toi ce soir-là était vrai. J'aurais dû l'écouter.

Leone tressaillit. Mais au moment où il s'apprêtait à prendre la parole, quelqu'un frappa énergiquement à la porte, et il se leva pour l'ouvrir.

116

— Une personne du nom de Nancy demande avec insistance à vous parler au téléphone, madame, déclara le domestique en s'adressant à Misty.

Leone prêta immédiatement son portable à la jeune femme, et elle composa le numéro de Fossets d'une main fébrile, redoutant le pire pour sa mère d'adoption. Pourvu que Birdie n'ait pas encore eu vent de cette affaire sordide...

Cependant, fort heureusement, il ne s'agissait pas du tout de cela. Nancy tenait seulement à lui dire que Birdie s'était fait opérer du cœur avec succès le jour précédent, et qu'elle sortirait de l'hôpital une dizaine de jours plus tard.

— Mais pourquoi ne m'avoir pas prévenue de la date de l'opération ? demanda Misty.

Quoique soulagée de savoir Birdie en bonne forme, elle demeurait étonnée qu'on lui ait fait des cachotteries sur un sujet aussi grave.

— Birdie ne voulait pas que tu t'inquiètes, ni que tu reviennes de Londres exprès pour elle, expliqua Nancy. Je n'ai pas voulu la contredire, dans son état.

Quelques minutes plus tard, Misty raccrochait le combiné. Elle savait à présent ce qui lui restait à faire : se rendre sans tarder à l'hôpital pour tenir compagnie à Birdie. Plus rien ne la retenait à Londres...

— Quelles nouvelles ? s'enquit Leone.

— Birdie a subi une opération assez lourde, répliqua-t-elle sèchement. Je rentre chez moi la voir.

— J'aimerais beaucoup rencontrer ta mère adoptive. Ce doit être une femme exceptionnelle.

— En effet, mais je ne vois vraiment pas pourquoi elle aurait envie de te rencontrer, toi. Adieu, Leone.

Ce dernier garda le silence, et regarda sans broncher Misty quitter la pièce. Alors qu'elle se trouvait sur le point de sortir de la maison, cependant, il surgit soudain et s'interposa entre la porte d'entrée et elle.

— Laisse-moi une chance de me faire pardonner, Misty, dit-il simplement.

Troublée par la proximité physique du corps qui l'avait enlacée à peine quelques heures plus tôt, Misty hésita un instant. La beauté sulfureuse de l'homme d'affaires éveillait en elle des sensations sur lesquelles sa volonté n'avait qu'un contrôle très relatif. Mais la blessure provoquée par la trahison de son amant était bien trop profonde pour être balayée de cette façon.

— Comment le pourrais-tu, Leone ? répondit-elle enfin. Tu me fais *peur*, à présent.

Trois semaines plus tard, Misty se trouvait chez son médecin de famille, attendant les résultats d'analyses qu'il lui avait recommandé d'effectuer. Birdie était partie poursuivre sa convalescence chez sa sœur, à Oxford, car celle-ci venait de perdre son mari.

Pourquoi le médecin tenait-il tellement à ce qu'elle fasse ces examens ? ne cessait-elle de se demander. Elle l'avait pourtant informé qu'elle venait de subir un grand choc émotionnel, et il avait certainement dû lire dans son dossier qu'elle était stérile. A ses yeux, tous ses problèmes physiques provenaient de sa relation avec Leone : ses problèmes de digestion, sa fatigue inhabituelle, ses crises de larmes inexplicables, ses règles qui tardaient à arriver...

Leone l'avait appelée quelques jours après son retour à Fossets, mais elle lui avait raccroché au nez. Grâce à Dieu, il s'était abstenu de renouveler l'expérience. Cependant, Misty avait été furieuse d'apprendre qu'il avait plus tard rendu visite à Birdie à l'hôpital. Sa mère adoptive l'avait trouvé « absolument charmant »... Comment en aurait-il été autrement ? Celle-ci ignorait tout des agissements machiavéliques de l'homme d'affaires.

— Mademoiselle Carlton ? dit l'infirmière, en lui faisant signe d'entrer dans le bureau du médecin.

Le docteur Fleming affichait un air grave.

— Il y a trois ans, vous aviez été avertie de la difficulté, voire de l'impossibilité, que vous auriez à devenir mère, déclara-t-il d'une voix douce. De toute évidence, cependant, vous vous êtes très bien remise de l'intervention chirurgicale qui a suivi votre accident, puisque... vous êtes enceinte.

— Vous êtes sûr ? s'exclama Misty, rougissant d'émotion.

— Il n'y a aucun doute là-dessus.

Le docteur Fleming adressa un sourire chaleureux à la jeune femme, puis entreprit de lui expliquer que l'événement n'avait rien d'un miracle à proprement parler, et que les vérités médicales étaient toujours très relatives... mais Misty ne l'écoutait plus, savourant à sa juste valeur ce moment de joie intense. Cette nouvelle représentait l'accomplissement de son rêve le plus cher, celui qui la hantait depuis son terrible accident.

A peine sortie de la clinique, elle se rendit dans la boutique de vêtements pour enfants la plus proche. Elle avait l'impression de se trouver sur un petit nuage, contemplant longuement les minuscules habits pour bébés, les peluches multicolores, les chaises hautes... son euphorie semblait inaltérable. Ainsi, son histoire avec Leone avait tout de même eu une conséquence positive, songea-t-elle. Mais ce bébé était à elle, uniquement à elle. Elle ne voulait plus avoir affaire à ce manipulateur sans scrupules, et elle comptait même lui rembourser à terme l'argent qu'elle avait reçu lorsqu'elle était sous « contrat » avec lui.

Sur le chemin du retour à Fossets, son regard se posa sur le titre d'un magazine placardé devant un bureau de presse : « SARGENT DEMISSIONNE ».

Voilà qui devait arriver un jour ou l'autre, se dit-elle, avec une certaine compassion pour celui qui, malgré tout, restait son père. Depuis quelques semaines, il ne se passait pas une journée sans que Sargent ne soit mentionné dans les journaux ; les liens qu'il entretenait avec certains hommes d'affaires douteux, ses maîtresses innombrables, et les cadeaux luxueux qu'il avait reçus en échange de son influence politique avaient fait la une de la plupart des quotidiens. Même ses plus ardents partisans avaient renoncé à le défendre, et sa chute était devenue inévitable. Sur ce plan-là, au moins, les manigances de Leone avaient fonctionné à merveille, songea Misty avec un soupir.

Elle pensa alors à sa petite entreprise de traiteur. Deux de ses trois employés avaient trouvé un travail dans une autre société pendant qu'elle se trouvait à Londres avec Leone. Mais Carlton Traiteur fonctionnait toujours. Elle avait d'ailleurs été ravie qu'on ait recours à ses services de restauratrice lors de quelques soirées privées...

avant de s'apercevoir que ses clients faisaient appel à Carlton Traiteur pour pouvoir ensuite se vanter devant leurs invités d'avoir en cuisine la fameuse fille illégitime d'Oliver Sargent. Ce rôle de bête de foire s'était vite révélé profondément déplaisant.

Maintenant qu'elle était enceinte, le plus raisonnable serait de revendre sa société, puis de trouver un emploi stable. Avec le fruit de la transaction, elle pourrait même commencer à rembourser l'argent qu'elle devait à Leone. Elle savait qu'elle ne pourrait continuer à vivre avec une telle dette morale sur les épaules… elle préférait encore payer des traites toute sa vie à un milliardaire qui n'avait aucun besoin de cet argent.

S'installant confortablement dans le salon, elle entreprit d'ouvrir le courrier de la journée… et fut décontenancée en trouvant un chèque bancaire à son nom, d'un montant équivalent à la dernière mensualité qu'elle avait versée pour rembourser l'hypothèque sur la maison de ses parents d'adoption. Appelant la banque sans attendre, elle apprit que la totalité de l'hypothèque avait été payée, et que ce versement n'avait donc plus lieu d'être.

Bouillonnant de rage, elle reposa lentement le combiné. Seul Leone était capable d'un acte pareil. Que croyait-il donc ? Qu'il pouvait l'acheter ? Que la « générosité » que lui permettait son immense fortune suffirait à ce qu'elle lui pardonne la souffrance qu'il lui avait infligée ?

Exaspérée par cette nouvelle preuve d'arrogance, elle décida d'aller à Londres pour lui annoncer sa décision de lui payer ce qu'elle devait — et ce afin qu'il disparaisse une fois pour toute de son existence.

Tout à coup, la sonnette d'entrée retentit.

— Pas de tapis rouge pour m'accueillir ? déclara Flash en entrant dans la maison avec un large sourire. Je suis déçu !

Derrière lui, Misty aperçut son coupé sport rutilant, dans lequel étaient assis deux imposants gardes du corps. Cela faisait cinq mois qu'elle n'avait pas vu son ami d'enfance, et deux mois qu'ils ne s'étaient pas parlé au téléphone. Sentant ses yeux s'embuer, elle se jeta avec une émotion non dissimulée dans les bras du chanteur.

Flash la serra avec chaleur contre lui, puis prit un air plus sombre, et la fixa dans les yeux.

— Pourquoi choisis-tu toujours de te mettre en ménage avec des salauds ? demanda-t-il avec un sérieux inhabituel.

— Qu-quoi ? balbutia Misty, tandis qu'ils se rendaient dans le salon.

— J'ai beau être en tournée aux Etats-Unis, je ne cesse pas pour autant de me renseigner sur ce qui se passe dans notre bonne vieille Angleterre, répondit Flash en s'asseyant dans le canapé. Tu ne m'appelles plus, et pourtant on ne peut pas dire que ta vie soit de tout repos. Une histoire d'amour avec un mafioso, la découverte que ton père est un homme politique corrompu... mais, dis donc, qui est-ce qui lit ça ?

Le regard de Flash s'était posé sur un livre concernant la grossesse et la maternité, acheté par Misty à sa sortie de la clinique du docteur Fleming. Elle rougit ostensiblement.

— Moi, répondit-elle. Ce livre est le mien.

Flash eut une moue désapprobatrice.

— Tu te fais du mal pour rien avec ce genre d'ouvrages, déclara-t-il en passant une main dans ses mèches décolorées. Tu devrais arrêter de le lire.

A ces mots, Misty ne put s'empêcher de rire.

Devant l'air interloqué de son ami, elle lui annonça la bonne nouvelle, puis se mit à lui narrer ses aventures dans le détail. Pour finir, elle lui fit part de sa décision d'aller à Londres faire comprendre à Leone que tout était fini entre eux, et qu'il pouvait garder son argent.

— Parfait ! s'exclama Flash, retrouvant enfin sa bonne humeur légendaire. Je t'emmène voir cet escroc, et ensuite on sort célébrer le miracle !

9.

Misty trouva sans difficulté son chemin jusqu'au bureau de Leone, au siège central d'Andracchi international

La secrétaire s'empressa d'annoncer l'arrivée de la jeune femme à son patron, et celui-ci surgit dans le couloir quelques instants plus tard.

A la vue de son ancien amant, le cœur de Misty se mit à battre la chamade, et elle regretta immédiatement d'être venue ainsi se jeter dans la gueule du loup. L'attirance instinctive qu'elle éprouvait pour cet homme au charisme incroyable menaçait à tout moment de prendre le dessus...

Pendant les semaines passées à Fossets, elle n'avait cessé de penser à lui, et ses rêves avaient été peuplés d'images érotiques qui les mettaient en scène tous les deux. Mais la complicité sensuelle qu'ils partageaient en rêve ne devait pas lui faire oublier qu'il l'avait odieusement trahie.

La gorge sèche, Misty déclencha les hostilités.

— De quel droit te crois-tu autorisé à rembourser l'hypothèque de Fossets ? lâcha-t-elle sur un ton qu'elle espérait suffisamment indigné.

Il ne répondit rien, se contentant de la dévisager lentement, tandis qu'elle sentait l'exaspération monter en elle.

— Allons poursuivre cette discussion dans mon bureau, articula finalement Leone avec un insupportable sang-froid.

— C'est inutile, ce que j'ai à te dire ne prendra pas longtemps ! répliqua vivement Misty.

— Si tu tiens à faire un scandale en public, alors je te laisse t'égosiller seule, *amore*.

Sur ces mots, Leone ouvrit la porte de son bureau et s'y engouffra. Furieuse qu'il puisse encore l'appeler ainsi, Misty se précipita après lui... et ne comprit son erreur que lorsqu'il eut refermé la porte derrière elle.

— Je ne suis plus ta maîtresse, et je ne veux plus rien à voir avec un homme comme toi ! s'exclama-t-elle enfin, troublée par la proximité du corps musclé de Leone autant que par la force de son désir pour lui.

— En ce qui me concerne, tu es encore ma maîtresse, car il n'y a aucune autre femme dans ma vie, répliqua Leone d'une voix qui réveillait en elle des sensations qu'elle croyait disparues.

L'idée qu'il puisse coucher avec une autre la mortifia. Elle sentit son estomac se nouer, et dû recourir à un violent effort de volonté pour conserver un calme apparent.

— Si tu crois que tu vas me reconquérir à coups de millions, tu te trompes lourdement, lança-t-elle en le foudroyant des ses yeux émeraude.

— C'est toi qui te méprends sur mes intentions, répondit Leone avec un détachement qui frisait l'indifférence. Je ne te dois aucune explication, mais puisque

126

tu en réclames une, la voici : j'ai fait un don anonyme
à ta mère adoptive parce qu'elle m'a fait une excellente
impression. C'est une femme dont le courage force l'admiration.

— Quoi ? Mais...

— Chaque année, je donne des millions de livres à
diverses œuvres de charité, mais j'ai rarement le temps
de m'occuper personnellement de ces donations. Or, tu
sais comme moi que si Robin Pearce n'avait pas mis
un terme à sa carrière de brillant architecte pour se
consacrer à l'éducation d'enfants difficiles, sa veuve
jouirait maintenant d'une retraite confortable. Aussi,
lorsque j'ai rencontré Birdie, j'ai voulu faire un geste.
C'est aussi simple que cela.

A ces mots, Misty s'empourpra violemment.

Birdie ne serait pas très fière d'elle ! Elle avait réagi
comme si elle avait été au centre du monde. Etait-elle
devenue si égoïste qu'elle ne savait même plus reconnaître un acte de générosité authentique ?

Un vertige soudain lui fit perdre l'équilibre, et elle
se raccrocha au bras de son compagnon.

— Tout va bien ? s'enquit celui-ci d'un ton alarmé
qui contrastait avec sa froideur précédente.

Inspirant profondément, Misty le repoussa avec toute
la dignité dont elle était encore capable, et glissa une
main dans la serviette en cuir qu'elle avait apportée.

— Je m'excuse d'avoir mal interprété ton geste, articula-
t-elle en ravalant à grand-peine son amour-propre.

Elle lui tendit un chèque qu'elle avait rempli à Fossets
en prévision de leur entrevue.

— Si j'ai accepté ta « proposition » il y trois mois,
c'était avant tout pour permettre à Birdie de demeurer

127

chez elle, enchaîna-t-elle. Puisque tu as réglé ce problème, je n'ai plus besoin de ton argent. Voici un premier remboursement de ce que je te dois.

Relevant un sourcil incrédule, Leone prit le chèque d'une main désinvolte.

— Je n'ai pu empêcher que tu m'utilises pour faire tomber mon père, mais je peux éviter de profiter de son malheur, déclara Misty d'un ton dur.

Un silence tendu s'installa entre eux.

— Il est hors de question que j'accepte cet argent, Misty, déclara enfin Leone.

Joignant le geste à la parole, il déchira le chèque en deux. Misty haussa les épaules, s'efforçant de respirer régulièrement malgré la sensation de nausée qui l'envahissait de nouveau.

— Très bien. Puisque tu le prends ainsi, je ferai don de ce que je te dois à une œuvre de charité, lâcha-t-elle d'un air de défi.

— Mais tu ne peux pas te le permettre ! répliqua-t-il, manifestant pour la première fois son irritation. Ta société…

— Carlton Traiteur ? Si tu crois que c'est agréable d'entendre mes clients plaisanter toute la soirée parce que je suis « la fille de Sargent » ! Merci, vraiment : grâce à toi, désormais, je n'aurai jamais d'autre notoriété dans la vie professionnelle !

A bout de forces, Misty comprit qu'elle ne pourrait supporter cette confrontation une minute de plus. Lançant un dernier regard incendiaire à son ancien amant, elle quitta brusquement la pièce, et se précipita dans l'ascenseur au bout du couloir. Appuyée contre la paroi métallique, elle pressa le bouton du sous-sol, puis ferma les yeux.

Quelle idiote d'être revenue le voir ! Comprenant que l'ascenseur ne démarrait pas, elle rouvrit les yeux et vit que Leone l'avait rejointe dans la cabine.

Elle voulut sortir, mais les doubles portes se fermèrent à cet instant, la rendant prisonnière de Leone.

Il la contemplait avidement, et elle sentit un désir irrésistible monter du plus profond de son être. Sans plus de cérémonie, il s'avança vers elle et captura ses lèvres dans un baiser brûlant. Tandis que des frissons délicieux lui parcouraient tout le corps, les dernières velléités de protestation de Misty s'évanouirent tout à fait. Il était trop tard pour réfléchir à ce qu'elle faisait ; en cet instant, une chose comptait : étancher la soif impérieuse qui la possédait... et seul Leone était capable de le faire. A présent, elle fondait littéralement de plaisir dans ses bras.

Comme cela lui avait manqué !

Enivrée par leur étreinte inattendue, c'est à peine si elle entendit la sonnerie qui signalait l'arrêt de l'ascenseur. Lorsque la double porte s'ouvrit de nouveau, cependant, elle se reprit, avec l'impression de se réveiller soudain d'un rêve invraisemblable.

— Je... je dois m'en aller, balbutia-t-elle en contemplant Leone avec de grands yeux. Flash m'attend.

— Flash ? s'exclama son compagnon. Mais que fais-tu avec lui ?

Misty essaya en vain de se dégager des bras de Leone.

— Ça ne te regarde pas ! s'exclama-t-elle, un peu inquiète qu'il ne la relâche pas.

Apercevant la scène depuis l'endroit où il s'était garé, Flash bondit de sa voiture avec un air furieux, ses mèches blondes plus rebelles que jamais.

— Laisse-la tranquille, Andracchi, ou tu auras affaire à moi ! s'écria-t-il en avançant vers eux.

Les deux colosses qui flanquaient la star donnaient à cette menace un poids non négligeable. Misty redouta soudain que la situation ne prenne un tour bien plus grave que ce qu'elle avait pu imaginer... Leone n'avait aucune chance, seul contre trois hommes !

— Je t'en prie, Leone, ne fais pas l'idiot ! Remonte dans ton bureau tout de suite ! lui intima-t-elle d'une voix où perçait l'inquiétude.

— Reste en dehors de tout ça, grommela-t-il en l'écartant.

Craignant le pire, Misty s'interposa entre Leone et Flash.

— Je t'interdis de toucher à un seul de ses cheveux, déclara-t-elle en dévisageant férocement son ami de toujours.

— Si tu crois que je vais laisser ce voyou molester une femme enceinte..., commença à répondre celui-ci, avant de remarquer la pâleur soudaine de Misty.

— Comment ? dit Leone en s'arrêtant net. Tu es *enceinte* ?

A ces mots, la jeune femme agrippa le poignet de Flash et tenta de l'entraîner vers la voiture.

— Viens, nous n'avons plus rien à faire ici, marmonna-t-elle avec une soudaine lassitude.

— Cet enfant, il est de moi ? demanda Leone.

Cette question raviva l'agressivité de Flash. Il décocha un coup de poing maladroit à l'homme d'affaires que ce dernier esquiva sans peine. Voyant que les gardes du corps de Flash n'intervenaient pas, Misty s'installa seule dans le coupé, bien décidée à laisser les deux hommes s'entretuer si ça leur chantait...

Flash la rejoignit quelques instants plus tard, un bleu sur la figure. Il démarra sur les chapeaux de roues, et Misty eut juste le temps d'apercevoir Leone, grave et immobile, qui les regardait s'éloigner avec une tristesse indéfinissable dans les yeux.

— Tu es censée me remercier d'avoir défendu ton honneur, je te signale, déclara Flash une fois qu'ils furent sortis du parking souterrain.

Misty ne prit pas la peine de répondre, lui jetant seulement un regard lourd de reproche.

— Ecoute, j'étais sûr que tu lui avais annoncé que tu étais enceinte, expliqua-t-il pour se justifier. Je croyais que c'était aussi pour cette raison que tu voulais le voir aujourd'hui...

— J'ai appris la nouvelle ce matin et je n'avais même pas l'intention de l'en informer, répondit Misty. C'était d'ailleurs une sage décision. Comment a-t-il osé demander si l'enfant était bien le sien ? Pour qui me prend-il ?

— A ta place, je ne lui en voudrais pas trop d'avoir posé cette question. Il ignore ce que tu as fait ces dernières semaines, et il t'a vue avec moi, alors...

— Ma parole, mais tu le défends, maintenant ! coupa Misty. Depuis que vous vous êtes bagarrés comme des collégiens, on dirait qu'il est remonté dans ton estime !

— En tout cas, ce n'est pas moi qui ai laissé du rouge à lèvres sur le col de sa chemise, si tu vois ce que je veux dire, glissa Flash avec un sourire en coin.

Misty se sentit rougir jusqu'aux oreilles, et garda le silence jusqu'à ce qu'ils arrivent à l'appartement de Flash. Epuisée par les événements de la journée, elle s'allongea sur le canapé, tandis que son ami allumait la télévision pour regarder un match de football. Misty ne tarda pas à s'endormir ; Flash la tira de son lourd sommeil quelques heures plus tard, en lui proposant de sortir fêter leurs retrouvailles et sa grossesse inespérée. Malgré sa fatigue, elle ne voulut pas refroidir l'enthousiasme de son ami, et alla donc se préparer.

Peu après, ils pénétraient dans une des boîtes de nuit les plus réputées de Londres, une armada de paparazzi accueillant comme à l'habitude Flash et ses congénères. Décidément, songea Misty avec ironie, on ne l'avait jamais tant prise en photo que ces derniers mois. Elle tâcha de présenter une mine radieuse aux photographes : si Leone voyaient ces photos dans les journaux du lendemain, elle voulait qu'il sache qu'elle se portait très bien sans lui — ce qui était faux, hélas. Depuis leur rupture, elle n'avait cessé de regretter la douceur de leurs baisers, la chaleur de leurs étreintes passionnées, la volupté de leurs nuits d'amour...

Ils s'installèrent à une table réservée, à l'écart de la foule des danseurs. Flash passa tendrement un bras autour de l'épaule de Misty.

— Tu n'as même pas protesté quand j'ai regardé le match de foot ! lança-t-il avec un large sourire. Tu es vraiment une femme formidable !

— C'est vrai, je n'ai rien dit, mais seulement parce que je dormais, répondit-elle d'un ton espiègle.

Toutefois, elle ne se sentait pas vraiment d'humeur à discuter, pas plus qu'à danser, d'ailleurs — d'autant qu'elle devait compter maintenant avec le bébé.

Penser à l'enfant qu'elle attendait la remplit d'une joie nouvelle : que lui importaient les difficultés qu'elle devrait affronter, maintenant ? Elle avait désormais une bonne raison de continuer à se battre...

Un bal incessant de connaissances vint tenir compagnie à Flash, et Misty passa la soirée à écouter les conversations animées de son ami, ravie de cette distraction. Les membres de la jet-set étaient si étonnants ! Peu avant l'aube, alors qu'elle suivait du regard les danseurs qui se déhanchaient au rythme d'une musique endiablée, elle distingua tout à coup une silhouette familière assise à une table de l'autre côté de la piste.

Leone !

Comment l'avait-il retrouvée ?

Un frisson d'inquiétude la parcourut... Une nouvelle confrontation violente entre Flash et Leone lui serait insupportable. Pourquoi fallait-il toujours que les hommes aient recours à la force ?

Jetant un regard soucieux à son ami d'enfance, qui pour sa part n'avait — heureusement ! — pas remarqué la présence de Leone installé à quelques mètres de lui, elle s'éclipsa en direction de la table de ce dernier. Mais à peine l'avait-elle rejoint, que Leone lui prit le bras d'une main autoritaire, et l'entraîna vers la sortie.

Déconcertée par ce geste aussi brusque qu'imprévisible, Misty ne réagit d'abord pas ; toutefois, lorsqu'elle vit Leone glisser un billet au gorille à l'entrée du club, son sang ne fit qu'un tour.

— On peut savoir à quoi rime ton petit jeu ? lâcha-t-elle en essayant de secouer la poigne d'acier qui la tenait prisonnière.

— Ta soirée est finie, répliqua Leone. Tu viens avec moi. Voilà des heures que tu t'enivres et que tu flirtes avec un autre homme...

— Mais qu'est-ce que tu racontes ? D'abord, je n'ai rien bu d'autre que du jus d'ananas, ce soir !

— Ecoute, j'ai fait en sorte qu'on prévienne ton ami le chanteur que tu partais avec moi. Maintenant allons-y.

— Tu ne peux pas m'obliger à t'accompagner, enfin !

— C'est ce que tu crois. Depuis que vous avez disparu, dans le parking, je t'ai cherchée sans relâche. Ma patience a des limites, *amore*, alors de deux choses l'une : ou tu acceptes de me suivre de ton plein gré, ou bien je te porte jusqu'à ma voiture !

— Tu... tu n'oserais pas !

— Les paris sont ouverts.

Ainsi, il l'avait cherchée dans tout Londres depuis le début de l'après-midi... Quel aveu touchant ! Son attitude était compréhensible, après tout : il souhaitait sans nul doute discuter de l'enfant à naître. Quel futur père n'aurait pas réagi comme lui ?

Il avait en effet le droit à quelques explications.

— D'accord, je te suis, murmura finalement Misty, mais je te préviens : je suis épuisée.

Le trajet en voiture jusqu'à l'appartement de Leone se fit dans un silence lourd. Misty avait l'impression de pouvoir entendre battre son propre cœur. Il faut dire qu'elle n'avait jamais été si tendue. Qu'allait dire Leone ? Avant qu'ils ne couchent ensemble la première fois, elle lui avait assuré qu'elle n'avait aucune chance de tomber enceinte. Mais l'impossible s'était produit... et elle craignait à présent que Leone ne veuille qu'elle renonce au bébé. Pour lui, elle n'avait été qu'une amourette sans importance, et il n'avait certainement eu aucune intention de lui faire un enfant ! Quel homme voudrait fonder une famille avec une femme dont il ne s'était servi que pour assouvir sa soif de vengeance ?

Une fois chez Leone, Misty se laissa tomber sur un sofa, et se prépara à l'affronter une fois de plus... A sa grande surprise, celui-ci ne broncha pas. Au contraire, le visage empreint d'une grande douceur, il s'approcha d'elle, s'accroupit, et plaça une main sur son ventre.

— Je voudrais savoir quels sont tes sentiments envers cet enfant, dit-il finalement en levant les yeux vers elle.

— Ecoute, Leone, je sais que les circonstances de sa venue au monde ne sont peut-être pas idéales, mais j'ai tellement souffert à l'idée de ne jamais devenir mère que... j'avoue que je suis aux anges. Et je veux garder l'enfant. L'élever seule ne me fait pas peur, au contraire : je ne sais pas si un père comme toi serait un très bon exemple.

— Qui parle de ne pas garder l'enfant ? Ou de l'élever seule ? Je t'ai amenée ici pour te demander en mariage.

— Comment ?

Décidément, cet homme n'en finissait pas de la surprendre !

— Laisse-moi m'expliquer avant de refuser ma proposition, enchaîna gravement Leone. Ce bébé est aussi le mien. Je veux le voir grandir entouré de l'affection de ses deux parents, comme j'ai eu la chance de le faire. As-tu envie de commettre la même erreur que ta mère ?

— Ma mère n'a rien à voir dans cette histoire ! Jamais je n'abandonnerai mon enfant !

— Dans ce cas, pourquoi le priver de la sécurité matérielle que je peux lui offrir ? Pourquoi le punir à cause de mes fautes ? Les Siciliens ont un sens de la famille très développé. Tu en as déjà expérimenté les aspects négatifs... n'en rejette pas les avantages !

Misty se tut quelques instants, perplexe. Se marier avec Leone assurerait certainement à son enfant tout le confort de vie qu'elle était en devoir de lui garantir, et elle était bien placée pour savoir que rien ne pouvait remplacer la présence d'un père aimant.

En réalité, il y avait mille et une raisons d'accepter d'épouser Leone. Mais celle qui l'emportait sur toutes les autres, c'est qu'elle était tombée profondément amoureuse de cet homme fascinant. Et puis, consentir à ce mariage signifierait qu'elle pourrait cesser la lutte harassante qu'elle menait contre elle-même et ses désirs les plus intimes.

— C'est d'accord, murmura-t-elle.

— Parfait ! se réjouit Leone. Un autre jus d'ananas pour fêter ça ?

— Merci, non, je préfère aller me coucher. La journée a été longue et je suis éreintée.

Elle se leva pour se diriger vers sa chambre, mais Leone la retint par la main.

— Accorde-moi encore une minute, Misty, s'il te plaît. J'ai une dernière chose à te dire.

Elle soupira, et acquiesça en silence.

— Aujourd'hui, ton père m'a rendu visite. Il est venu dans mon bureau ce matin, et m'a tout avoué pour Battista. Il se trouvait bel et bien avec elle lors de leur expédition fatale.

Misty contempla son amant avec de grands yeux.

— Il affirme cependant qu'il a été sonné par le choc de l'accident, et que lorsqu'il est revenu à lui, Battista était déjà morte, poursuivit Leone. Sinon, dit-il, jamais il ne l'aurait abandonnée ainsi. Avant de me quitter, il s'est excusé pour tout le tort qu'il nous avait causé à ma famille et à moi.

Misty fut étonnée de se sentir si soulagée par ce récit. Ainsi, son père n'avait pas été le monstre froid que Leone lui avait tout d'abord décrit. C'était juste quelqu'un qui avait paniqué et s'était laissé déborder par la situation. De plus, son acte de repentance prouvait qu'il avait pris du recul sur sa vie passée. Peut-être même était-il devenu un homme nouveau. Car il avait dû lui falloir un sacré courage pour aller demander pardon à Leone dans les bureaux mêmes d'Andracchi international !

— J'ai voulu que tu saches, *amore*, que le tableau que je t'avais dressé de ton père était inexact, poursuivit Leone. A l'époque, j'étais aveuglé par ma douleur d'avoir perdu Battista... A présent je t'assure que, malgré ses méfaits, Oliver Sargent a encore de l'amour et du courage en lui. D'ailleurs, il m'a dit qu'il souhaitait te revoir.

— Très bien, répondit simplement Misty. Mais si tu permets, je réfléchirai à tout ça plus tard. Je tombe de sommeil.

Elle attendit un court instant que Leone fasse un geste pour la retenir, voire qu'il propose de passer la nuit avec elle — ce que, malgré sa fatigue, elle désirait de tout son être. Toutefois, il se contenta de déposer un baiser tendre sur sa joue, avant de se retirer dans sa propre chambre.

Misty se glissa avec un plaisir certain entre les draps de soie de son lit... mais le sommeil ne vint pas. Des images de Leone entièrement nu, splendide de virilité, ne cessaient de la hanter. Décidément, cet homme l'avait ensorcelée ! Incapable de supporter plus longtemps les visions du corps si puissamment masculin de Leone, elle se leva, prête à rejoindre son futur mari dans sa chambre. Tant pis pour son amour-propre ! Elle ne pouvait résister à l'envie de sentir la peau de Leone contre la sienne — à moins de se condamner à passer une nuit blanche.

Mais à peine avait-elle fait un pas dans le couloir qu'elle rencontra son amant qui sortait de la douche... et qui s'essuyait les cheveux, entièrement nu. Il sembla à Misty que son cœur s'arrêtait, tandis qu'elle rougissait de la tête aux pieds, enflammée par un désir plus impérieux que jamais.

— Mais tu n'arrêtes jamais de me surprendre, *bella mia*..., susurra Leone en la prenant dans ses bras hâlés.

Sans attendre de réponse, il la souleva d'un geste fluide puis l'emmena dans sa chambre où la déposa sur son lit. Avant que Misty puisse reprendre ses esprits, il avait enlevé sa chemise de nuit, et couvert sa gorge nue d'une pluie de baisers, chacun provoquant un délicieux frisson qui se répercutait dans tout son corps. Elle se cambra contre son amant, emportée par le flot de sensations exquises qui déferlaient en elle, submergée par le désir comme par une irrésistible lame de fond. Leone savait la transporter jusqu'aux frontières les plus extrêmes de la volupté...

10.

Une semaine plus tard, Misty contemplait rêveusement la robe de mariée dépliée sur son lit, lorsque Birdie l'appela depuis le salon.

— Misty ! Il y a quelqu'un qui demande à te voir !

Les préparatifs du mariage s'étaient déroulés à la vitesse de l'éclair. Dès que Birdie avait été informée de l'heureux événement, elle était rentrée d'Oxford, en persuadant sa sœur de venir avec elle veiller à ce que tout soit impeccablement organisé. Pour Misty, c'était un plaisir de retrouver la Birdie de son enfance, pleine d'entrain et d'énergie — cependant, elle ne pouvait s'empêcher de craindre que l'effort ne soit trop important pour la convalescente.

Lorsqu'elle déboucha dans le couloir, elle remarqua immédiatement la lueur d'inquiétude qui ternissait le bleu éclatant des yeux de la vieille dame.

— C'est ton père, annonça celle-ci. Il t'attend dans la salle à manger.

Misty afficha une mine déconfite, et sembla hésiter.

— Il a fait l'effort de venir jusqu'ici pour te voir, la sermonna doucement Birdie, alors ne le déçois pas.

Cette entrevue est importante pour vous deux... et pour le bébé.

Le cœur serré, Misty pénétra dans la pièce où l'attendait son père. Même si cette entrevue était nécessaire, la jeune femme la redoutait.

Lorsqu'il l'aperçut, Oliver Sargent se leva avec un empressement maladroit, et s'avança pour la serrer dans les bras... mais se reprit au dernier instant. Il devait être aussi gêné qu'elle, songea Misty, attendrie par le geste de son père. Il avait notablement vieilli depuis leur dernière rencontre, et semblait avoir perdu beaucoup de poids. De toute évidence, il n'était plus que l'ombre de lui-même... mais il lui inspirait à présent de la sympathie, alors qu'il l'avait irritée autrefois par son arrogance satisfaite.

— Ecoute, je dois te dire d'abord que sans Leone, je ne serais jamais venu te voir, balbutia-t-il enfin.

— Leone ?

— Oui, c'est lui qui m'a convaincu de te rendre visite. Tu comprends, je n'étais pas sûr que tu veuilles me rencontrer, après... après ce que j'ai fait à ta mère, et à Battista.

Incapable de démêler ses émotions, Misty contempla un instant son père en silence.

— Assieds-toi, je t'en prie, finit-elle par articuler, à court de mots pour exprimer ses sentiments.

Sargent s'installa dans un canapé en la remerciant, puis la dévisagea d'un air sombre.

— Je suppose que tu voudrais d'abord entendre l'histoire de ma relation avec ta mère, lâcha-t-il dans un souffle.

Elle hocha gravement la tête, toute son attention tournée vers le vieil homme assis en face d'elle.

— Bien, dit-il. Quand nous nous sommes rencontrés, Carrie et moi, elle n'avait que 21 ans, mais elle était déjà mariée et mère d'un enfant, une petite fille. A l'université, elle avait de nombreux amis de son âge, et elle s'est mise à regretter de s'être liée à un homme beaucoup plus âgé qu'elle.

— As-tu jamais été sincèrement amoureux d'elle ? demanda vivement Misty, les questions se pressant maintenant dans son esprit.

— Disons que j'étais très attaché à elle, mais à cette époque, j'étais également fiancé avec Jenny, que j'aimais. Le problème, c'est que Jenny se trouvait alors à plusieurs centaines de kilomètres... Oh, écoute Misty, je suis fatigué de mentir constamment. Je vais te dire la vérité : à mes yeux, ma relation avec Carrie n'était rien d'autre qu'une simple aventure, agréable pour elle comme pour moi. J'étais jeune, et je ne savais pas encore que rien n'est simple dans une relation amoureuse.

— Quand as-tu décidé d'arrêter de la voir ?

— Lorsqu'elle m'a appris qu'elle était enceinte, j'ai pris peur, et je l'ai quittée sur-le-champ. Elle pensait que l'enfant était de son mari, mais un test sanguin a rapidement prouvé le contraire. Toi et ta sœur jumelle étiez mes filles...

— Tu as dû recevoir un choc lorsque tu l'as appris, commenta Misty plutôt sèchement.

— Oui, surtout que Carrie a surgi un beau matin devant ma porte avec ses valises... Cela faisait des mois que notre relation était terminée, mais elle espérait que l'on renouerait comme si rien ne s'était passé. La suite n'est pas très belle à entendre. Je ne l'aimais pas, et ma plus grande crainte était que Jenny découvre notre liaison et mes enfants illégitimes. J'ai refusé d'accompagner ta mère qui me proposait d'aller vous voir. Lorsqu'elle a compris que je ne partageais pas ses sentiments, elle a accepté de partir. Je lui ai laissé une très grosse somme d'argent, et je n'ai plus jamais entendu parler d'elle.

Le fait que son père ne les ait jamais vues, sa sœur et elle, comme celui de savoir qu'il n'avait pas totalement abandonné sa mère, puisqu'il lui avait donné de quoi subvenir à ses besoins immédiats, aida Misty à mieux comprendre la situation.

Leur conversation se prolongea encore une heure, car la jeune femme avait toutes sortes de questions à poser à son père. Au moment de repartir, Oliver se pencha pour embrasser sa fille sur le front.

— J'ai été très touchée que tu passes me voir, dit-elle en retenant une larme d'émotion.

— Je tenais à le faire, Misty, répondit Oliver. Je ne voulais pas que tu conserves l'image négative que je t'ai donnée lors de cette triste soirée au château d'Eyrie… Et je t'avouerai que cela m'a fait du bien de dire la vérité sur mon passé. C'est une démarche pénible, évidemment, mais tellement importante !

Misty eut un regard attendri pour l'homme politique déchu. Il y avait quelques semaines à peine, songea-t-elle, Oliver Sargent était une personne puissante et respectée, entourée par d'innombrables « amis » de tous bords. A présent, sa carrière était brisée à jamais, et il

144

ne lui restait plus que des souvenirs bien amers pour occuper ses vieux jours.

— J'aimerais mieux te connaître, si tu le veux bien, déclara-t-il à sa fille. Une fois que le tapage autour de cette affaire se sera assourdi, évidemment.

Le visage de Misty s'éclaira d'un sourire radieux.

— Bien sûr, répondit-elle. Je veux que mon enfant connaisse son grand-père, et d'ailleurs...

Elle hésita, et Oliver devina la gêne de sa fille.

— Bien, dit-il, il vaut mieux que je m'en aille, à présent.

— Attends... je voudrais t'inviter à notre mariage, lança finalement Misty. Je serais heureuse si tu pouvais y assister.

A ces mots, Sargent releva ses sourcils broussailleux, une expression de joie dans les yeux. Il semblait avoir secrètement attendu que sa fille lui fasse cette proposition.

— Leone sera-t-il d'accord ? demanda-t-il avec inquiétude.

— Je n'ai aucun doute à ce sujet, assura Misty.

Une fois son père parti, elle se remit aux préparatifs du mariage... mais ses pensées étaient ailleurs.

Lorsque sa mère était venue retrouver Sargent pour lui demander qu'il l'épouse, il avait refusé, au motif qu'il ne l'aimait pas. Peut-être aussi était-il anxieux à l'idée de devoir affronter une paternité à laquelle il ne s'était pas du tout préparé... Mais d'après Misty, il avait eu raison de refuser ce mariage — après tout, il était amoureux de Jenny, pas de Carrie.

Et voilà qu'à présent, elle-même allait épouser Leone… qui ne l'aimait pas plus qu'Oliver n'avait aimé Carrie, songea-t-elle soudain. Comme sa mère, elle était tombée enceinte sans l'avoir prévu, et comme elle, elle s'était tournée vers le père de l'enfant pour qu'il l'aide. Mais dans son cas, le mariage allait bien avoir lieu — et, comble de l'ironie, au nom du bonheur futur de l'enfant !

A cette pensée, elle frissonna. Dire que c'était Leone qui l'avait encouragée à ne pas répéter les erreurs de sa mère !

Combien de temps faudrait-il à son mari pour s'apercevoir que la situation n'était pas viable ? Combien de temps avant qu'il ne s'ennuie d'elle et ne décide de la quitter ? Pire encore, il pourrait prendre une maîtresse — pour de bon cette fois !

Ç'en était trop. Elle ne pouvait pas s'engager dans un mariage sans amour. Il fallait qu'elle en informe Birdie qui se reposait sur la terrasse…

A sa grande surprise, ce fut Leone qui l'y accueillit.

Aussitôt, il la prit dans ses bras puis captura ses lèvres dans un baiser langoureux qui fit oublier un instant à Misty ses préoccupations.

— Pardonne-moi mes manières cavalières, mais je ne pouvais vraiment plus attendre, lui susurra Leone à l'oreille.

Un peu plus loin sur la terrasse, Birdie faisait mine de n'avoir rien remarqué, plongée avec une concentration exagérée dans la lecture d'un magazine. Misty parut embarrassée, étonnée de retrouver Leone si tôt. Il avait passé la semaine en déplacement d'affaires, et ne devait revenir que le soir...

— Eh bien, c'est comme ça que tu accueilles ton futur époux ?

La déception se lisait sur le visage de Leone. Misty prit son courage à deux mains, et l'entraîna à l'écart, là où Birdie ne pourrait les voir ou les entendre.

— Ecoute, poursuivit Leone à voix basse, je sais que tu ne m'as toujours pas pardonné pour ce que j'ai fait, mais nous avions convenu de jouer au couple amoureux au moins devant Birdie...

— Justement..., lança-t-elle.

Comment annoncer sa décision à Leone sans déclencher une scène devant sa mère adoptive ?

— Je pense que nous ne devrions pas nous marier, déclara-t-elle finalement. Ce mariage n'est pas honnête — ni vis-à-vis de nous ni vis-à-vis de l'enfant.

Leone la dévisagea avec un mélange de stupéfaction et de colère.

— C'est ce Flash, n'est-ce pas ? lâcha-t-il dans un souffle. Tu t'es rendu compte au dernier moment que tu l'aimais, et...

— Leone, tu n'y es pas du tout ! coupa Misty.

Se pouvait-il qu'il soit *jaloux* de Flash ? Mais dans ce cas, cela signifiait qu'il tenait à elle !

— Ce n'est pas grave, continua Leone, je comprends. Et je suis même prêt à attendre que tu résolves ce problème de ton côté avant que l'on se marie.

Misty fut étonnée par la douceur de son compagnon. Qu'était devenu le Sicilien impulsif qu'elle avait connu ? Sans parler de l'âpre négociateur, capable de retourner toutes les situations en sa faveur... ainsi, Leone savait se montrer parfois fragile et complexe. Cette attitude ne le rendait que plus séduisant. Si seulement il l'avait aimée !

— Je n'ai jamais été amoureuse de Flash, et je ne le serai jamais, déclara-t-elle d'une voix éteinte.

— Ne me mens pas ! répliqua vivement Leone. Je vous ai bien vus, au club, l'autre soir : il avait posé son bras sur ton épaule et te couvait du regard !

— Flash et moi sont des amis très proches, rien de plus ; tu n'as pas à t'inquiéter à cause de lui.

Elle poussa un profond soupir. Il fallait à présent lui dire ce qu'elle avait sur le cœur.

— Tu ne m'épouses que parce que je suis enceinte, lança-t-elle, de guerre lasse.

Leone parut tomber des nues. La colère avait maintenant disparu de son visage pour laisser la place au plus complet ébahissement. Petit à petit, il recouvra une contenance et finit par éclater de rire.

Cette réaction réchauffa le cœur de Misty, même si elle ne savait pas vraiment comment l'interpréter.

— *Dio*, Misty, je n'ai jamais rien entendu de plus absurde ! s'exclama-t-il, une étrange lueur dans ses yeux d'ébène.

— Mais...

— Ne comprends-tu pas que je t'aurais demandée en mariage quoi qu'il arrive ? J'ai accueilli la nouvelle de ta grossesse comme une bénédiction, parce que l'enfant me donnait une deuxième chance de te convaincre de passer ta vie avec moi... Enfin, ma chérie, ne vois-tu pas que c'est mon désir le plus cher ?

Tout à coup, Misty sentit l'allégresse s'emparer de tout son être. Elle avait peine à croire que ce que Leone lui disait était vrai... Se pouvait-il que le bonheur lui tende enfin la main ?

— Je sais que je n'aurai peut-être pas assez de toute ma vie pour te faire oublier le tort que je t'ai fait, poursuivit Leone, mais sache que... je t'aime.

Misty contempla son amant sans trouver de mots pour exprimer l'immense félicité qu'elle ressentait. Son émotion se reflétait dans ses grands yeux émeraude, brillants de larmes.

— Je n'ai jamais dit cela à une femme avant toi, continua Leone, et j'avoue que les mots ne me sont pas venus facilement. Je ne voulais pas t'avouer mon amour au téléphone, parce que ça manquait de romantisme ; j'ai alors tenté de te parler le soir où je t'ai enlevée à Flash, mais je ressentais une telle jalousie que cela m'a coupé mes moyens : je craignais que tu ne te fâches, ou pire... que tu te moques de moi.

Cette fois, ce fut Misty qui partit d'un grand éclat de rire.

— Que je me moque de toi ? répéta-t-elle avec un sourire attendri. Maintenant, c'est toi qui dis des absurdités, *amore*.

Sur ces mots, elle attira Leone contre elle, et l'embrassa avec passion.

— Je n'ai jamais cessé de t'aimer, idiot, murmura-t-elle ensuite à l'oreille de son futur époux. Même au plus fort du désarroi, je n'ai pas cessé un instant de penser à toi. L'enfant que je porte est né de cet amour. Le miracle s'est produit parce que nous sommes faits l'un pour l'autre.

— Misty ? appela soudain Birdie tout en s'approchant d'eux. On te demande au téléphone, ma chérie.

149

La jeune femme fronça les sourcils, et allait répliquer que ce n'était pas le moment, quand sa mère adoptive lui adressa un regard complice.

— C'est ta sœur jumelle, dit-elle. Va vite.

Embrassant une dernière fois Leone, elle courut répondre, le cœur plein d'espoir.

Chère lectrice,

Vous nous êtes fidèle depuis longtemps?
Vous venez de faire notre connaissance?

C'est pour votre plaisir que nous avons
imaginé un rendez-vous chaque mois
avec vos auteurs préférés, vos
AUTEURS VEDETTE dans les
collections Azur et Horizon.

Les AUTEURS VEDETTE vous
donneront rendez-vous pour de
nouveaux livres vedette.

Pour les reconnaître, cherchez
l'étoile... Elle vous guidera!

Éditions Harlequin

ROUGE PASSION

De fiévreuses histoires d'amour sensuelles!

De provocantes histoires d'amour passionnées et romantiques qu'on lit d'une seule traite. Aventureuses, parfois humoristiques, et sensuelles, elles mettent en vedette des hommes et des femmes d'aujourd'hui.

ROUGE PASSION...
trois nouveaux titres
chaque mois.

<u>COLLECTION
HORIZON</u>

Des histoires d'amour romantiques qui vous mènent au bout du monde!

Découvrez la passion et les vives émotions qu'apportent à la Collection Horizon des auteurs de renommée internationale!

Captivantes, voire irrésistibles, ces histoires d'amour vous iront assurément droit au coeur.

Surveillez nos trois nouveaux titres chaque mois!

HARLEQUIN

COLLECTION
ROUGE PASSION

- Des héroïnes émancipées.
- Des héros qui savent aimer.
- Des situations modernes et réalistes.
- Des histoires d'amour sensuelles et provocantes.

LAISSEZ-VOUS TENTER
par 3 titres irrésistibles
chaque mois.

Parler des enseignantes de 5ᵉᵐ
Mme Caroline a Mme Julie
Elles sont jeunes et dynamiques et
très dévoué envers leur élèves.

Mon ~~projet~~ preferé : Musique
car ᵉⁿˢᵉ nous avions le choix d'instrument
j'ai choisi la trompette, et je suis content
de mon choix car c'est amusant et
j'apprend bien avec Mme Andrée qui
est très gentille et patiente avec nous

♉ ♊ ♋ ♌ ♍

69 **L'ASTROLOGIE EN DIRECT
TOUT AU LONG
DE L'ANNÉE.** ♏

(France métropolitaine uniquement)
Par téléphone 08.92.68.41.01
0,34 € la minute (Serveur SCESI).

Composé et édité
PAR LES ÉDITIONS HARLEQUIN
Achevé d'imprimer en mars 2004

BUSSIÈRE
GROUPE CPI

à Saint-Amand-Montrond (Cher)
Dépôt légal : avril 2004
N° d'imprimeur : 40748 — N° d'éditeur · 10458

Imprimé en France

Merci de m'avoir écouté.
J'espère que vous avez apprécié

Moi, quand j'ai commencé la 5e année j'étais très nerveux et anxieux. Les débuts d'années sont difficile pour moi ~~mais j'essai m'améliore. j'essaist de penser à des trucs~~ je suis gêné. Pour m'aider je prends des grandes respirations et je pense à mon grand frère qui m'encourage toujours. Maintenant que d'année arrive je suis content car je pense la fin à mes vacances avec mon frère. ~~C'est sur que je vais être~~ Quand les vacances seront finis il va falloir me préparer pour ma 6e année ouf!